D1535254

cahiers libres ; 384

Collectif « Révoltes logiques »

L'empire
du sociologue

ÉDITIONS LA DÉCOUVERTE
1, place Paul-Painlevé
Paris Vᵉ
1984

Si vous désirez être tenu régulièrement au courant de nos parutions, il vous suffit d'envoyer vos nom et adresse aux Editions La Découverte, 1, place Paul-Painlevé, 75005 Paris. Vous recevrez gratuitement notre bulletin trimestriel **A la découverte.**

© La Découverte, Paris, 1984
ISBN 2-7071-1447-2

Introduction

Le titre de cet ouvrage suscitera sans doute une question : peut-on organiser une recherche sur le sens de la sociologie et sur la place qu'elle occupe aujourd'hui en consacrant l'essentiel de la réflexion à une théorie sociologique particulière, celle de Pierre Bourdieu ?

N'est-ce pas nier la diversité des écoles, des recherches et des pratiques au profit d'une seule théorie, quitte à lui imputer en retour tous les péchés dont la sociologie peut se voir accuser ? Il s'agit, au surplus, d'un sociologue dont le travail et l'audience se situent en marge de sa corporation. Il n'est guère question de *La Reproduction* et de *La Distinction*, des habitus et de leurs champs dans les revues et les congrès des sociologues. Ces thèmes hantent en revanche les travaux des historiens, les bulletins des animateurs culturels, les congrès des professeurs de français et les rapports des réformateurs scolaires. De leur côté, les ouvrages de Pierre Bourdieu ou les articles de sa revue s'intéressent peu aux discussions méthodologiques ou aux travaux empiriques de ses collègues. Mais ils interviennent sans relâche pour corriger l'économie, la linguistique ou la philosophie, expliquer les cycles de la haute couture, du sport ou de la musique, ramener à leur raison suffisante et commune l'Œil du

5

Quattrocento, le recrutement des grandes écoles, la composition de *L'Education sentimentale* ou l'aggiornamento de l'Eglise.

C'est précisément ce paradoxe qui nous a paru significatif. Comment une sociologie placée aux limites de la profession a-t-elle pu conquérir tous les champs de l'opinion intellectuelle ? On a négligé ici sans remords les explications qui invoquent les stratégies institutionnelles et les effets médiatiques, la théorie de l'hégémonie et les petits potins de l'« intellocratie ». On a préféré s'en tenir à un principe plus naïf et sans doute plus fécond : si des idées pénètrent facilement dans les têtes, c'est qu'elles y sont déjà en quelque manière. Si les grandes idées de la sociologie de Pierre Bourdieu, celles de la reproduction et de la distinction, s'imposent au professeur du Collège de France comme aux enseignants des collèges de banlieue, au journaliste en vue comme à l'obscur animateur culturel, c'est qu'elles *marchent* : entendons par là qu'elles donnent aux uns et aux autres l'interprétation la plus satisfaisante de leur travail propre et de son articulation dans le champ des luttes de pouvoir. Chacun d'eux, à sa place, peut y trouver à sa manière ce que cherche aujourd'hui la population intellectuelle dans son ensemble : non pas tant la méthode d'un savoir particulier qu'une philosophie du social susceptible de rassembler les significations théoriques et politiques de l'histoire qu'elle a traversée depuis vingt ans.

Une chose devrait en effet retenir l'attention : l'empire présent de cette sociologie est aussi le reste d'un continent englouti. Elle prit son essor au début des années soixante avec le grand regain des rigueurs théoriques marxistes et des fièvres révolutionnaires. La critique des illusions des *Héritiers* accompagna à son origine la grande bataille althussérienne pour la science révolutionnaire contre l'idéologie. La théorie de la reproduction mêla l'austérité structuraliste de ses axiomes aux accents de la Révolution culturelle et de la lutte contre « l'école de classe ». Or l'effondrement des théories et des espérances qui portèrent ce discours n'a fait qu'en amplifier la portée. D'un côté, il a recueilli l'héritage théorique et politique de la critique marxiste et il en a parachevé le schéma interprétatif. A l'universitaire comme au journaliste, il permet de retrouver les marques de la division et de la lutte sociales dans la plus infime flexion de la prose des écrivains ou de la posture des politiques. Au pédagogue ou à l'animateur, comme au réformateur qui s'efforce de résoudre leurs problèmes, il explique les illusions et les échecs de l'éducation du peuple. Mais en même temps il a délié cette capacité interprétative des hypothèques pratiques du marxisme et des naïvetés de l'espérance sociale. Il permet de dénoncer en même temps les mécanismes de la domination et les illusions de la libération. Discours à la mesure d'un temps où se mêlent les ardeurs orphelines de la dénonciation du « système » et les certitudes désenchantées ou ragaillardies de sa pérennité.

Reste à savoir comment la sociologie, fille des espérances du XIXᵉ siècle en l'éducation du peuple et en l'avènement de nouveaux liens sociaux, a pu devenir cet étrange scepticisme militant, ce savoir désenchanté, sinon désarmé, de la reproduction des dominés et de la distinction des dominants.

Cette question a donné à cet ouvrage son orientation d'ensemble et ses chemins de traverse. A partir de quelques références de Pierre Bourdieu à la pensée de Durkheim et de Mauss, la première partie s'interroge sur les transformations du projet sociologique. Au centre de cette histoire, un point névralgique : le rapport de la *science* du social avec l'*art* du politique et celui du pédagogue. Entre l'engagement scientifique et militant d'un Durkheim et celui d'un Bourdieu, une certaine histoire laisse entrevoir ses effets : celle des rapports entre la sociologie et l'idée démocratique. Histoire encore à faire : on a seulement cherché ici à saisir quelques-unes des inflexions qui ont rendu possible l'expansion de l'empire théorique du sociologue.

La seconde partie étudie la façon dont cet empire se structure, dans sa confrontation aux deux principaux modèles que les sciences humaines offrent à la philosophie du social : ceux de l'économie et de la linguistique. D'un côté, l'économie figure le modèle classique mais toujours extensible de l'interprétation des contraintes pesant sur la conduite des individus. De l'autre, la linguistique servit naguère de modèle « structuraliste », mais Pierre Bourdieu l'associe plus volontiers aux illusions du libre choix et de la communication pure entre les sujets sociaux. Et entre ces deux sciences il établit un curieux cercle. D'un côté, l'application des catégories économiques à la linguistique lui permet de construire l'image d'un monde coupé en deux, où toute situation de communication est une relation de concurrence ou de dépendance. Mais, d'un autre côté, le jeu se renverse à considérer en elle-même cette économie du symbolique qui ne comporte, à proprement parler, ni mesure, ni échange, ni capitalisation. La rigueur économique qui interdisait de raconter des contes s'y résout en magie sociale.

Ce double tour par où la rationalité économique recouvre la communication sociale et l'arbitraire de l'institution la rationalité économique donne un visage singulier à l'intention libératrice affichée par la sociologie. La troisième partie s'interroge sur les analyses qui veulent appliquer à l'enseignement public ou à l'éducation des petites filles les idées de la reproduction et de la violence symbolique. Les apories de la transformation égalitaire y renvoient toujours à la culpabilité des héritiers-éducateurs. Au point que l'humiliation des prétentions intellectuelles des enseignants finit par apparaître, à travers le *turn over* des recettes pédagogiques, comme le seul gage solide de la démocratisation de l'enseignement. Plus radicalement, la question se pose : comment le changement est-il pensable dès lors que le destin des dominés est assimilé au mouvement immobile d'un peuple exclu de cet accès au symbolique qui seul peut déplacer les identités individuelles ou collectives ? Le refus des illusions populistes ne se retourne-t-il pas alors dans la vision d'un peuple quelque peu anachronique ?

La dernière partie voudrait élargir le champ des questions ainsi soulevées sur les philosophies, explicites ou implicites, qui constituent la sociologie comme discipline et lui donnent sa fonction théorico-politique. Nous avons délibérément choisi de conclure sur cette divergence des réflexions. Il ne s'agit pas, en rappelant le parcours singulier de Gabriel Tarde, de restaurer une contre-tradition de la sociologie française. Il ne s'agit pas non plus, en présentant au public français la critique faite par Adorno d'un maître livre de la sociologie, la *Théorie de la classe de loisir* de Veblen, de venger la philosophie des coups que Comte, Durkheim ou Bourdieu lui ont assénés. On a voulu, à travers la construction de Tarde, rappeler l'étrangeté intrinsèque de cet objet, le « social », dont la massivité nous est devenue trop évidente pour faire question. Avec Tarde, représentant d'une tradition philosophique et politique bien différente, Adorno partage au moins une exigence : l'insistance sur la dimension *esthétique* du social. On se gardera certes de vouloir plaquer sur *La Distinction* de Pierre Bourdieu l'incisive critique par laquelle Adorno retourne la dénonciation de la « consommation ostentatoire ». Mais on reconnaîtra une même question : la critique sociale « démystificatrice » des grands mots et des vanités esthétiques n'est-elle pas peu à peu

8

devenue la pensée ordinaire de l'assentiment à l'ordre existant ?
N'y a-t-il pas une autre manière d'« appeler les choses par leur
nom » ? S'il y a, face au sociologue, non pas une revanche mais
une persistance de la philosophie, elle est dans la question
« naïve » qu'elle oppose aux impeccables rationalisations de la
science sociale : « Comment quelque chose de nouveau est-il
possible en général ? » Ce qui revient à demander si la sociologie aujourd'hui peut penser l'étrangeté démocratique ou seulement son deuil.

I

L'usage des ancêtres

L'éthique de la sociologie

Leçon sur la leçon : le titre donné à la publication de la leçon inaugurale de Pierre Bourdieu au Collège de France indique bien la nature de la séduction exercée par sa sociologie. Son emprise tient moins aux connaissances apportées sur les pratiques des sujets sociaux ou à la « méthode » enseignée pour les analyser qu'à la figure donnée à cet exercice où se noue et se dénoue le lien de l'activité savante à la pratique morale et politique : la *leçon* qui se tire de l'étude objective des choses pour s'offrir à l'examen des consciences et à l'armement des volontés. Si la leçon, en l'occurrence, prend un caractère exemplaire, c'est pour deux raisons. D'une part, les désenchantements politiques ont donné au genre tous les risques et tous les attraits du paradoxe. D'autre part, les risques et les profits encourus consacrent la vocation triomphante d'une science, naguère confinée dans l'auxiliariat du « certificat de morale et de sociologie », à reprendre à son compte l'austère et noble discours sur la morale de la science.

Le discours sur la science a un avantage appréciable : il permet de faire la leçon sans la faire. Par lui-même, il est un discours sur la vertu par excellence : la vertu de celui qui sait et fait savoir. Trois textes récents de Pierre Bourdieu dessinent assez bien l'image que la « leçon » du sociologue nous offre de cette vertu. *Le Sens pratique*, d'abord, revendique « l'humanisme scientifique » dont Lévi-Strauss a donné le modèle. En analysant « comme un langage ayant en lui-même sa raison [1] » les mythologies indiennes, l'ethnologue a permis de réconcilier « la vocation scientifique et la vocation éthique ». A l'engagement spectaculaire de l'intellectuel sartrien, il a opposé une « sorte de métier militant aussi éloigné de la science pure que de la prophétie exemplaire [2] ».

Le sociologue n'est pas avare. Ce don de la science qu'il a reçu de l'ethnologue, il entend le restituer à la communauté scientifique avec intérêts. En « objectivant » les objectivations de l'ethnologue, la sociologie prétend mettre à nu les intérêts investis dans le champ scientifique en général. A tous les savants, elle propose cette sorte de psychanalyse qui, décrivant les enjeux du champ scientifique dans leur rapport avec les enjeux des divers champs sociaux, les arme de la connaissance des conditions de la connaissance [3].

Cette fonction, la *Leçon sur la leçon* la montre inscrite dans le projet général des *Lumières* qui pénètrent les « ténèbres de la méconnaissance [4] » à l'ombre desquelles les trafiquants de la violence symbolique perpétuent leur commerce. La sociologie peut opérer cette dénonciation dans la mesure où elle analyse le mensonge nécessaire à l'existence sociale en général : « La sociologie dévoile la *self-deception*, le mensonge à soi-même collectivement entretenu et encouragé qui, en toute société, est au fondement des valeurs les plus sacrées et, par là, de toute l'existence sociale. Elle enseigne, avec Marcel Mauss, que « la société se paie toujours elle-même de la fausse monnaie de son rêve [5] ».

Deuxième père fondateur, deuxième trait de l'éthique sociologique : en situant les valeurs de la science dans l'économie générale du pouvoir symbolique, elle restituerait aux sujets sociaux, et d'abord à ceux qui prétendent les instruire, « la

---

1. Pierre BOURDIEU, *Le Sens pratique*, Editions de Minuit, 1980, p. 9.
2. *Ibid.*, p. 8.
3. « La sociologie, la dernière venue des sciences, est une science critique, d'elle-même et des autres sciences » (*Questions de sociologie*, p. 49). On aura reconnu la version modeste de cette « science d'elle-même et des autres sciences » que le tyran Critias proposait jadis à Socrate (PLATON, *Charmide*, 166).
4. *Leçon sur la leçon*, Minuit, 1982, p. 21.
5. *Ibid.*, p. 32.

maîtrise des fausses transcendances que la méconnaissance ne cesse de créer et de recréer [6] ».

Cela définirait, du moins, la vocation *présente* de la sociologie. Car justement Bourdieu reproche au premier des pères fondateurs, Durkheim, d'avoir fait ce que la sociologie enseigne précisément à ne pas faire : parler en maître. « Le même Durkheim qui recommandait que la gestion de la chose publique fût confiée aux savants avait peine à prendre, à l'égard de sa position sociale de maître à penser le social, la distance nécessaire pour la penser comme telle [7]. »

Ce n'est évidemment pas un péché de jeunesse du père fondateur. C'est là, pour Pierre Bourdieu, le prix que la sociologie a dû payer pour se faire reconnaître comme science par l'institution en lui cachant sa vocation iconoclaste : « La sociologie est, dès l'origine, dans son origine même, une science ambiguë, double, masquée ; qui a dû se faire oublier, se nier, se renier comme science *politique* pour se faire accepter comme science universitaire [8]. »

Ainsi se boucle la boucle de cette science héroïque et trompeuse, obligée de mentir pour dévoiler la vérité sur le mensonge social. Durkheim aurait opéré la « fraude originelle » donnant à cette science indésirable pour les puissants le droit d'exister dans le champ scientifique. Il aurait payé le prix magistral nécessaire et suffisant pour que, à travers l'inflexion maussienne du projet durkheimien, la lecture par Lévi-Strauss de l'*Essai sur le don* et la mise à l'épreuve de son « humanisme scientifique » à l'époque des guerres de décolonisation, la sociologie parvienne à cette difficile et exemplaire morale qui fait servir la distance scientifique à l'explicitation des enjeux sociaux et politiques.

Le mensonge de Durkheim

Le discours sur l'origine est un genre où le mythe est de rigueur. Rarement, pourtant, l'abîme aura paru plus grand entre l'histoire réelle d'une science et son apologétique rétrospective. Et nous serons amenés à poser la question à l'envers : l'oubli de la politique d'une science n'est-il pas le prix dont se paye *aujourd'hui* sa promotion au rang de métaphysique du politique ?

6. *Ibid.*, p. 56.
7. *Ibid.*, p. 11.
8. *Questions de sociologie*, p. 48.

Commençons par le commencement : la dissimulation de la politique que Durkheim aurait opérée pour faire accepter la sociologie à l'Université. L'argumentation ne tient que par le recours aux concepts désincarnés de la tour d'ivoire universitaire et de l'engagement politique. Or jamais une telle opposition n'a été moins pertinente qu'au temps de Durkheim. Et peu de savants ont plus que lui vu dans l'Université l'arme de la science au service de l'art politique. La pensée de Durkheim représente la quintessence d'une Université militante, non pour la cause d'un parti ou d'un gouvernement, mais pour la cause d'une République, au sens le plus fort — celui de la *politeia* aristotélicienne —, que l'esprit du temps ne jugeait possible que par la science en général et la science du lien social en particulier. On voit mal pourquoi Durkheim aurait dû cacher un drapeau qui était celui des maîtres de la République et de l'Université : la foi comtiste de Jules Ferry en la République pédagogique ; la foi solidariste de la République radicale de Léon Bourgeois. Sa science n'est pas plus indésirable pour les autres qu'elle n'est, dans sa pensée, iconoclaste. Elle entre dans la vocation explicite de l'Université à définir, à partir de la science, et à enseigner sans ruse les formes de la sociabilité et de la morale républicaines. C'est en toute connaissance de cause que Louis Liard, grand maître de l'Université, ouvre pour Durkheim en 1887 un cours de science sociale. Et c'est déjà lui qui a envoyé le jeune agrégé enquêter sur l'Université allemande, dans le cadre d'un programme classique depuis Renan : aller voir ce que les institutions éducatives françaises peuvent imiter chez ces voisins et ennemis dont la victoire a été celle d'une société éduquée, entraînée à la musique et à la gymnastique qui forment collectivement le corps et l'âme des combattants.

On sait que l'enseignement supérieur allemand parut à Durkheim peu digne d'être imité [9]. Ce qui, en revanche, lui sembla mériter considération, c'était la science sociale opposée par les « socialistes de la chaire » aux abstractions et aux « égoïsmes » de l'économie libérale [10] — intérêt inscrit dans la préoccu-

---

9. « La philosophie dans les universités allemandes », *Textes*, présentés par V. Karady, Minuit, t. III, p. 436.
10. Cf. « La science positive et la morale en Allemagne » et « Organisation et vie du corps social selon Schaeffle », *Textes*, t. I, p. 267-343 et 355-377. Voir aussi Bernard LACROIX, *Durkheim et le politique*, Presses de la Fondation nationale des sciences politiques, 1981 et Jean-Claude FILLOUX, *Durkheim et le socialisme*, Droz, 1977.

pation classique des réformateurs du temps : comment contenir les effets de désintégration sociale portés par le règne de
l'économie politique, avec sa philosophie libérale « égoïste » et
sa contre-philosophie révolutionnaire et « collectiviste » ? Et
quel équilibre établir pour cela entre les deux grandes puissances existant à côté du capital : les pouvoirs juridico-politiques
concentrés dans l'Etat et les pouvoirs scientifiques et moraux
concentrés dans l'éducation ? C'est cette problématique, héri-
tée de l'idée première de la sociologie, celle d'Auguste Comte,
qui donne à Durkheim son premier objet d'analyse : non pas
la religion, comme le dit Bourdieu, mais la division du travail
social [11]. Premier ouvrage publié par Durkheim, introduite par
une citation canonique de la *Politique* d'Aristote [12], *la Division sociale du travail* marque la réactualisation du plus vieux
projet de la science politique : distinguer la *réciprocité* propre
à la société politique de l'uniformité des sociétés militaires et
de l'anomie dispersive des intérêts économiques. L'étude objective et désintéressée des faits moraux « comme des choses »
communique avec l'engagement d'une philosophie pratique,
détournée des spéculations byzantines vers la constitution d'une
morale appropriée au développement objectif de la solidarité
sociale.

Dans cette tâche, l'Université est à la fois un laboratoire et
un modèle. Le tableau que Durkheim donne de la sociologie en
France est, à cet égard, significatif. Il y distingue trois groupes : l'école anthropologique, marquée par le naturalisme com-
munautaire de Létourneau ; l'école criminologique dominée par
la pensée individualiste de Tarde ; enfin sa propre école à
laquelle Durkheim n'hésite pas à donner le nom de « groupe
universitaire » [13]. Et il n'hésite pas non plus à fonder dans

---

11. « Ce n'est pas par hasard que le premier objet de la sociologie a été la religion. Les durkheimiens se sont attaqués d'emblée à l'instrument par excellence (à
un certain moment) de la construction du monde et spécialement du monde social »
(*Questions de sociologie*, p. 49). On sait le double profit de la vieille et toujours
active cheville stalinienne « ce n'est pas un hasard… » : non seulement elle établit
entre deux faits des rapports autrement indémontrables, mais aussi elle établit les
« faits » eux-mêmes qui, d'être mis en rapports, sont supposés déjà connus et
acquis. Or, si la sociologie de la religion fait la matière du premier cours professé
à Bordeaux par Durkheim, elle ne constitue pas le centre de ses premiers ouvrages.
12. « La cité n'est point faite d'éléments identiques. Car une cité est autre chose
qu'un pacte militaire » (*Politique*, 1261 a, 24). Rappelons que ce passage est consa-
cré à la critique du communisme platonicien.
13. « L'état actuel des études sociologiques en France », *Textes*, t. I, p. 73-108.

l'homogénéité de recrutement de ce groupe (l'Ecole normale supérieure) sa communauté de problématique : « Un effort pour ouvrir à la morale et à la philosophie du devoir une nouvelle voie et pour démontrer qu'il est possible de soumettre la morale à la science sans pour cela l'affaiblir, d'expliquer rationnellement l'autorité du devoir sans la réduire à n'être que le produit d'une sorte d'illusion psychologique [14]. » La vocation *universitaire*, au sens fort du mot, et la spécialisation scientifique du groupe sociologique en font non seulement un lieu de recherche mais un modèle présent de la réciprocité qui doit arracher la société aux tendances dispersives de l'anomie économique. Si les « groupes professionnels » paraissent à Durkheim contenir le principe de la moralité de l'avenir, c'est à condition d'importer cette morale de la vocation dont le professeur, le prêtre ou le juge leur donnent l'exemple. L'institution sociologique, c'est la société savante devenue laboratoire et modèle de la sociabilité de tous.

Le scrupule de Mauss

L'*Essai sur le don* de Mauss peut être lu aussi comme la gigantesque allégorie de cette *science morale* qui unit, au centre de son étude et de sa pratique, la réciprocité qui fonde la justice sociale et la générosité du don qui civilise la distribution des fonctions et des services. L'étude scientifique du don s'y donne indissolublement comme une leçon de morale politique. Or c'est précisément cette leçon de morale qui s'est évanouie à travers la leçon de méthode que Claude Lévi-Strauss a tirée pour la postérité de l'œuvre de Mauss.

On sait en effet comment Lévi-Strauss définit la révolution opérée par Mauss : celui-ci aurait, pour la première fois, arraché la vie sociale au « domaine de la qualité pure » [15] ; il aurait permis de réduire le divers de ses activités à un petit nombre « d'opérations, de groupes ou de personnes où l'on ne trouve plus, en fin de compte, que les termes fondamentaux d'un équilibre diversement conçu et différemment réalisé selon le type de société considéré [16] » : opération comparable à celle

---

14. *Ibid.*, p. 91.
15. Claude Lévi-Strauss, « Introduction à l'œuvre de Marcel Mauss », in Mauss, *Sociologie et anthropologie*, PUF, 1950, p. XXXIII.
16. *Ibid.*, p. XXXIV.

par laquelle Troubetzkoy et Jakobson, en dégageant un petit nombre de relations constantes, ont fondé la linguistique structurale.

Pourtant, déplore Lévi-Strauss, Mauss s'est arrêté au seuil de cette révolution scientifique. L'ethnologue s'interroge alors sur l'hésitation ou le scrupule qui l'a retenu d'élaborer « le *Novum Organum* des sciences sociales du XXᵉ siècle, qu'on pouvait attendre de lui et dont il tenait tous les fils conducteurs [17] ». Et il trouve une réponse simple : si Mauss, dans l'*Essai sur le don*, n'a pas su fonder la grande science structurale de l'échange social, c'est qu'il a succombé au péché qui toujours menace l'ethnologue : il s'est laissé « mystifier par l'indigène [18] ». Enfermé dans la recherche de la vertu qui commande la circulation et le retour des dons, il n'a pas su voir que « c'est l'échange qui constitue le phénomène primitif et non les opérations discrètes en lesquelles la vie sociale le décompose [18] ». Il s'est acharné à reconstituer le tout de l'échange à partir des actes partiels des échangistes. Et pour en venir à bout il a dû emprunter à la philosophie spontanée des sages Maoris l'explication indigène : le *hau*, la vertu incorporée aux choses qui force les dons à circuler et à être rendus.

Lecture étonnante : en quelques pages, elle a non seulement oublié pour son compte mais rendu invisible pour quelques générations de lecteurs le projet moral et politique de la sociologie [19]. La conclusion de l'*Essai sur le don* et les circonstances de sa publication sont pourtant éloquentes : le texte a paru en 1925 dans le premier numéro de *L'Année sociologique* publié après la mort de Durkheim et la fin de la guerre. Dans le même numéro, Mauss a évoqué la mémoire de tous les jeunes sociologues qui ont donné leur vie à la cause commune sans avoir pu réaliser une œuvre déjà retardée par les vertus de scrupule individuel et de générosité collective propres à la cité savante. Et c'est Mauss encore qui, à quelques mois de là, tire le bilan « sociologique » du bolchevisme, dans la *Revue de métaphysique et de morale* [20]. Commentant l'échec de

---

17. *Ibid.*, p. XXXVIII.
18. *Ibid.*, p. XXXVIII.
19. Pour une critique contemporaine de la lecture de Lévi-Strauss, voir Claude LEFORT, « L'échange et la lutte des hommes », *Les Temps modernes*, 1951, p. 1400-1417.
20. « Appréciation sociologique du bolchevisme », *Revue de métaphysique et de morale*, 1924, t. 31, p. 103-132.

l'étatisme bolchevique, il ne craint pas de « passer pour vieux jeu et diseur de lieux communs » en proposant un retour « aux vieux concepts grecs et latins de *caritas*, que nous traduisons si mal aujourd'hui par charité, du *philon* et du *koïnon*, de cette "amitié" nécessaire, de cette "communauté" qui sont la délicate essence de la cité [21] ». La référence est platonicienne, mais son explication est tout aristotélicienne. Ce que Mauss oppose au communisme étatique, c'est cet art de l'amitié et de la mise en commun, cette pensée de la propriété individuelle à usage collectif qu'Aristote opposait à la cité économiste et militariste de Platon. Le même thème du *philon* et du *koïnon* anime la conclusion de l'*Essai sur le don*. Face au règne de l'*homo œconomicus* et à ses effets pervers, il faut revenir à des « mœurs de dépense noble », intégrer les prestations économiques dans un ensemble de prestations sociales où la justice de la redistribution s'unit à la générosité du don.

On comprend alors pourquoi Mauss n'a *pas pu* voir dans l'échange la réalité structurante donnant son sens aux « opérations discrètes » des échangistes, pourquoi il s'est « acharné » à penser le tout à partir des parties. Si attaché qu'il soit à distinguer la sociologie « pure » de toute compromission dans les tâches du *social work* ou du *social service* [22], il ne peut penser la constitution du social hors de l'exercice de cet « art social » qui est « art de la vie en commun [23] ». S'il s'arrête devant le « Novum Organum » des sciences sociales, ce n'est pas parce qu'il est « mystifié » par l'indigène. C'est parce que ce Novum Organum ressortit à une pensée du social étrangère à cette *civilité*, dont la sociologie doit faire la théorie pour la mettre au service d'un art politique qui ne soit pas simple art de gouverner mais art social total. La théorie du « fait social total » ouvre non pas sur une vision structuraliste de l'échange symbolique mais sur une pratique qui refuse toute théorie de la dernière instance et toute séparation entre politique, morale et économie. Le lien de la morale et de la science, de l'éducation et de la société est clairement ramassé dans ces dernières lignes de l'*Essai sur le don* qui commentent la belle histoire de la Table ronde, fruit de la collaboration entre la sagesse d'un roi et celle d'un

---

21. *Ibid.*, p. 116. La référence de Mauss est PLATON, *Les Lois*, 697 c.
22. « Divisions et proportions des divisions de la sociologie », *Œuvres*, présentées par V. Karady, t. III, p. 232.
23. « Appréciation sociologique du bolchevisme », p. 122.

menuisier : « Il est inutile d'aller chercher bien loin quel est le bien et le bonheur. Il est là dans la paix imposée, dans le travail bien rythmé, en commun et solitaire alternativement, dans la richesse amassée puis redistribuée, dans le respect mutuel et la générosité réciproque que l'éducation enseigne.

« On voit comment on peut étudier, dans certains cas, le comportement humain total, la vie sociale tout entière ; et on voit aussi comment cette étude concrète peut mener non seulement à une science des mœurs, à une science sociale partielle, mais même à des conclusions de morale, ou plutôt — pour reprendre le vieux mot — de "civilité", de "civisme", comme on dit maintenant. Des études de ce genre permettent en effet d'entrevoir, de mesurer, de balancer les divers mobiles esthétiques, moraux, religieux, économiques, les divers facteurs matériels et démographiques, dont l'ensemble fonde la société et constitue la vie en commun, et dont la direction consciente est l'art suprême, la *politique* au sens socratique du mot [24]. »

Le sens perdu

Ce qu'argumente l'*Essai sur le don*, ce n'est donc pas l'universalité des formes de l'échange symbolique, c'est l'universalité de l'éthique de la générosité. Point de vue moral, attaché à la distinction kantienne de la valeur marchande et de la dignité morale. Mais aussi point de vue politique aristotélicien, élargissant à l'ensemble des prestations sociales la pensée du Stagirite : constituer la *politeia* par le mélange de ce qu'il y a de meilleur dans toutes les formes politiques [25], et en particulier par l'usage démocratique des vertus aristocratiques. Double usage de la *distinction* et du *mélange* rebelle à la pensée structuraliste d'une économie générale des échanges symboliques.

Cette perspective, claire en 1925, est déjà obscurcie quand Bataille et le *Collège de sociologie* opèrent leur lecture de Mauss, gauchissant l'éthique de la générosité raisonnable en esthétique de la dépense frénétique et mettant au centre de l'analyse du don la violence symbolique par laquelle le donateur assure son pouvoir. Ce gauchissement prépare la lecture *neutre* de Lévi-Strauss. Celle-ci ramène à leur commun dénominateur symbo-

---

24. *Sociologie et anthropologie*, p. 279.
25. Cf. « La nation », *Œuvres*, t. III, p. 579.

lique la générosité de Mauss et la violence de Bataille. Et elle ramène la question de la « civilité » dans le triangle de la loi symbolique, de l'appropriation scientifique et de la méconnaissance indigène. D'une part, l'« humanisme scientifique » de l'ethnologue ne parvient à répudier le racisme ethnocentrique de l'ethnologie coloniale qu'en oubliant le projet éthique et politique de la sociologie. D'autre part, la « raison » de sa pratique qu'il rend à l'indigène ne peut justement être la sienne.

Telle est la contradiction de l'« humanisme scientifique » dont Bourdieu hérite. Non seulement il gomme la signification éthique et politique de la sociologie durkheimienne, mais aussi, à travers l'analyse du don et de l'échange, il recouvre l'espace de la pratique sous le pouvoir de la loi symbolique et de sa méconnaissance. Ce scientisme était peut-être nécessaire pour faire sortir le regard sur l'autre de l'horizon colonial. Mais il rend vains aussi les efforts pour restaurer cette pensée du « sens commun » qui commandait le rapport de la science sociologique avec l'art social.

D'où le paradoxe de l'entreprise de Pierre Bourdieu. Contre l'objectivisme qui réduit les pratiques rituelles à leur « vérité », il prétend mettre à jour ce *sens pratique* incorporé dans l'action qui se passe de la représentation de la règle et joue avec ses exigences. Ainsi *Le Sens pratique* s'attache-t-il à nous montrer que l'honneur kabyle ne se réduit ni à une réciprocité de dons et de contre-dons ni à l'idéologie qui camouflerait la contrainte et l'intérêt économiques : le temps séparant le don du contre-don autorise en effet toutes les stratégies qui écartent le « sens pratique » de la « vérité » de l'ethnologue.

Reste à savoir en quoi consiste au juste le bénéfice de cet écart. Or, au fil de l'analyse, le « sens de l'action » ainsi restauré ne cesse de se réduire. En dernière instance, il n'est plus que la « méconnaissance » ou la « dénégation » de la vérité objective : « Tout se passe comme si les stratégies, et en particulier celles qui consistent à jouer avec le *tempo* de l'action ou, dans l'interaction, avec l'*intervalle* entre les actions, s'organisaient en vue de dissimuler, à soi et aux autres, la vérité de la pratique que l'ethnologue dévoile brutalement [26]. » Le sens pratique n'est jamais que ruse de la raison. L'ethnologue « objectiviste » se trompe seulement sur la façon dont les sujets

---

26. *Le Sens pratique*, p. 180.

doivent se tromper eux-mêmes pour lui donner raison en accomplissant la « vérité objective » de leur pratique.

Sur le terrain des échanges sociaux, il n'y a jamais ainsi que des *intérêts* et des manières de les *dénier*, selon deux grandes procédures dont Bourdieu emprunte les traits à Max Weber : le charisme archaïque des stratégies subjectives de distinction et la moderne rationalité des mécanismes institutionnalisés de reproduction. L'économiste a seulement le tort de s'en tenir à une vision restreinte de l'économie, ignorant que la « méconnaissance » est elle-même régie par les lois d'une autre économie. Il méconnaît ainsi lui-même la façon dont le capital économique se reconvertit en capital culturel et dont le capital culturel sert la reproduction du capital économique.

La « réhabilitation » de l'indigène et du sens pratique n'aboutit ainsi qu'à faire de l'intellectuel un autre indigène, assujetti aux intérêts et aux dénégations de son propre champ. Il n'y a en somme que des indigènes, dont le sociologue est le seul à penser l'appartenance. Mais il y a deux sortes d'indigènes : ceux qui ont du capital à placer sur le marché symbolique et ceux qui n'en ont pas ; ceux qui peuvent jouer aux jeux de la distinction et ceux qui sont assujettis aux mécanismes de la reproduction.

Bien plus, donc, qu'une critique du scientisme structuraliste, *Le Sens pratique* opère une liquidation de la pensée maussienne du don et du mélange. Là où Mauss recherchait les invariants de la socialité noble, Bourdieu affirme l'économie généralisée de l'intérêt et de la violence symboliques. L'échange de dons devient le paradigme de cette « alchimie sociale » qui consiste à transformer « une espèce quelconque de capital en capital symbolique, possession légitime fondée dans la nature de son possesseur [27] ». La *redistribution* n'est jamais que le moyen de faire *reconnaître* la distribution. L'archaïsme de la dépense noble que Mauss jugeait nécessaire au *mélange politique* pour contenir le règne de l'*homo œconomicus* devient l'économie primitive du pouvoir symbolique, celle du capital « dénié » qui sert à l'« officialisation » et à l'« euphémisation » des rapports de domination. En fait de table ronde, il n'y a plus que la circularité des jeux du capital économique et du capital culturel, de la machine reproductrice et de la dépense charismatique. Ce jeu des deux formes du capital et des deux modalités du pouvoir

---

27. *Ibid.*, p. 217.

symbolique produit, en fait de mélange des vertus, ce monde coupé en deux que nous décrit *La Distinction* : en bas, un peuple fonctionnant à la reproduction et exclu de tout accès au luxe des jouissances symboliques ; nourri de ragoûts qui « tiennent au corps », habillé seulement de vêtements pratiques, se reproduisant « tel quel et en grand nombre » et limitant ses générosités conviviales à la stricte économie des invitations « sans chichis » ; en haut, des classes distinguées mues par le refoulement de la vulgarité populaire et engagées dans le conflit des dominants, détenteurs du capital économique, et des dominants-dominés, champions du capital culturel.

L'éthique anti-économiste de la sociologie du don se trouve ainsi retournée en « axiomatique de l'intérêt [28] ». Il est vrai qu'aux figures simplistes de cette axiomatique, Bourdieu oppose un modèle complexe qui rend complémentaires deux discours apparemment contradictoires. D'un côté, il reprend la définition marxiste de l'idéologie comme expression et dissimulation des rapports sociaux de domination. Mais il la redouble par l'apport d'une tradition apparemment antagonique, celle de la sociologie allemande et de Max Weber en particulier. Bourdieu montre bien lui-même comment la sociologie — souvent jugée « idéaliste » — de ce dernier n'est pas un retrait mais bien plutôt une radicalisation par rapport au matérialisme marxiste, puisqu'elle fait entrer dans le champ du matérialisme ces pratiques symboliques que le marxisme abandonnait en fait au spiritualisme [29]. Ainsi se fonde un « matérialisme généralisé » qui est d'abord une sorte de pan-économisme, soumettant aux lois de l'économie symbolique les formes de « dénégation » de l'économie ordinaire. Mais c'est en même temps une autre idée de la sociologie qui se trouve instaurée. La sociologie de Durkheim et de Mauss s'inscrivait dans la continuité de l'utopie pédagogique et solidariste des débuts de la IIIe République. Elle était tendue vers la recherche du lien social et de l'art politique nouveau qui devaient faire vivre cette République. Avec la vision de Max Weber, Bourdieu importe cette autre tradition sociologique qui porte la marque du pessimisme postschopenhauerien et postnietzschéen d'une intelligentsia germanique persuadée

---

28. Cf. Michel CAILLÉ, « La sociologie de l'intérêt est-elle intéressante ? », *Sociologie du travail*, juil.-sept. 1981, p. 257-274.
29. Cf. *Le Sens pratique*, p. 34.

d'assister non au commencement mais à la fin d'un monde [30].
Autre idée de la sociologie, mettant le constat de l'uniformi-
sation bureaucratique à la place des espérances en la nouvelle
différenciation sociale ; attentive à séparer l'activité scientifique de la contamination des jugements de valeur, dans la
mesure même où elle ressentait le déclin de ces valeurs, et faisant de l'objectivité scientifique le moyen d'un ajustement à distance avec la montée du rationalisme bureaucratique. Sociologie
de la résignation stoïque à la modernité qui s'oppose non seulement aux espérances révolutionnaires de la science marxiste
mais aussi à la foi aristotélicienne de la République pédagogique et de la sociologie durkheimienne.

Marx et Weber ou la pédagogie impossible

L'éthique de la sociologie de Pierre Bourdieu combine ainsi
la dénonciation marxiste des idéologies pour le compte du prolétariat et le scepticisme de l'intellectuel wébérien à l'égard des
jugements de valeur de la science marxiste. Cette conjonction
donne une science militante inédite dont tout le militantisme est
investi dans le tacite et interminable travail du deuil des espérances démocratiques et socialistes de la sociologie durkheimienne. Parricide silencieux qui est aussi le deuil des espérances d'une démocratie qui avait cru possible de fonder sur l'éducation du peuple et le désintéressement des élites les formes de
sa sociabilité nouvelle. L'Ecole, la pédagogie et la culture, points
décisifs du programme démocratique et points d'insertion de
l'ancien programme sociologique, sont en effet les cibles essentielles de cette nouvelle sociologie militante. Et celle-ci n'a fondamentalement qu'une chose à en dire : la caducité de la vieille
idée d'une science du social que l'éducation du peuple mettrait
au service de la démocratie.

Le chemin qui va des *Héritiers* à *La Reproduction* en donne
une démonstration d'autant plus significative qu'elle porte sur
ce point fort devenu le point faible de la République pédagogique : la mise au service de la formation démocratique des
vertus aristocratiques et élitaires, logique aristotélicienne des
années 1880 devenue, dans les années 1960, l'inconséquence ou

---

30. Cf. Fritz RINGER, *The Decline of the German Mandarins*, Harvard Univer-
sity Press, 1969.

la ruse de la machine éducative. L'analyse de Bourdieu et Passeron en résume et réduit le paradoxe dans le concept wébérien de *charisme*. Chez Weber, le charisme était la propriété traditionnelle de l'autorité légitime, battue en brèche par la moderne rationalisation. Ce concept résumait ainsi l'ambiguïté du rapport de sa science avec la moderne rationalité. Chez Bourdieu et Passeron, les évidences de la critique marxiste de l'idéologie suppriment l'ambiguïté et permettent d'identifier le charisme au surcroît de la dépense symbolique qui fait tourner la machine reproductive. Il est alors possible de résumer dans ce seul concept l'autorité du professeur, les « dons » qu'il reconnaît ou dénie aux élèves, les litotes de la littérature classique qu'il explique et les bonnes manières des fils de famille qui en font leur profit. Et l'on peut résumer ainsi la démonstration : l'Ecole reproduit les rapports sociaux de domination par l'usage et l'imposition d'une idéologie aristocratique du « don » et de la « culture » qui poussent les fils du peuple à s'exclure au profit des seuls héritiers [31].

Reste à savoir sur quelle pratique transformatrice cette critique peut déboucher. Et c'est ici que le scepticisme wébérien va retourner le jeu de la dénonciation marxiste. En un premier temps, en effet, Bourdieu et Passeron opposent à l'aristocratie du charisme une pédagogie rationnelle qui donne à tous les moyens d'un apprentissage rationnel de la culture scolaire. Mais cette idée apparaît aussitôt contradictoire avec toute volonté subversive : la vieille pédagogie des lumières qui éclairent le peuple est devenue une technique indifférente à tout autre effet que sa propre reproduction. La pédagogie rationnelle ne peut enseigner, en tout système, que la rationalité de ce système lui-même [32].

D'un côté, la dénonciation marxiste ne peut plus voir qu'idéologie de collaboration de classe dans l'art social que voulaient enseigner Durkheim et Mauss. De l'autre le pédagogue ne peut plus rien pour cette « prise de conscience » révolutionnaire que requiert le dénonciateur. D'un côté, la critique marxiste des fondements sociaux de l'idéologie dénonce l'imposture du charisme wébérien. De l'autre, l'analyse wébérienne de la légitimité et de sa rationalisation montre que l'effet de légitimation de la culture

31. Pierre BOURDIEU et Jean-Claude PASSERON, *Les Héritiers*, Minuit, 1964.

32. Cf. Pierre BOURDIEU et Jean-Claude PASSERON, *La Reproduction,* Minuit, 1970, proposition 3.3.3.5, scolie 2, p. 68-70.

imposée ne peut pas ne pas se reproduire, de par la définition même de la violence symbolique exercée. Travaillant l'un contre l'autre, Marx et Weber unissent leurs efforts pour produire cette figure étrange qui définit la nouvelle sociologie comme science militante : la critique radicale d'une situation radicalement immuable.

La Reproduction instaure ainsi la royauté de la critique sociologique sur les ruines de la pédagogie militante. Toute l'opération se joue sur un seul concept : *l'arbitraire.* Toute pédagogie est violence symbolique, c'est-à-dire imposition d'un arbitraire. Mais l'arbitraire, précisément, a un double sens. L'action pédagogique est arbitraire parce qu'elle reproduit la culture d'une classe déterminée, mais aussi par son existence même qui opère dans le champ des possibles un découpage qui n'est jamais nécessaire en lui-même. Dès lors, le discours sur le premier arbitraire est condamné à se dire toujours dans la langue du second. Et celui-ci est irréductible : l'action pédagogique ne peut s'effectuer que sur le mode de l'énonciation légitime. Son acte, toujours arbitraire, s'exprime toujours dans la langue du nécessaire, sauf à se couper le droit d'être entendu. L'action pédagogique légitime *ipso facto* une autorité pédagogique qui la légitime en retour. *L'arbitraire ne peut pas ne pas être méconnu.* Qui croit proférer l'arbitraire le méconnaît. Et qui veut dénoncer la méconnaissance se trompe sur la façon dont elle fait méconnaître.

Ainsi se trouvent ruinées en même temps les espérances anciennes de la République pédagogique et les espérances nouvelles de la dénonciation militante. Le militant qui veut dénoncer les fondements sociaux de l'« Ecole bourgeoise » est condamné à errer entre la position de l'élève qui ne sait pas *comment* la machine le prend et celle du pédagogue qui a besoin d'une autorité légitime pour dénoncer l'arbitraire de la légitimité. Situation exemplaire de l'étudiant contestataire qui, en voulant dévoiler l'autorité nue du système, renouvelle les enchantements du charisme. Toute pédagogie de la dénonciation reproduit la machine pédagogique. Et la parole prophétique ne peut elle-même prêcher que des convertis.

27

La tautologie en mouvement

Cette commune impuissance de la pédagogie démocratique et de la prophétie militante a pour effet d'installer le sociologue dans la position de seul dénonciateur *légitime*. Demander pourquoi il jouit seul du privilège d'échapper à la méconnaissance et de dire l'arbitraire serait ignorer la logique du tour opéré : c'est justement dans la mesure où le pouvoir reproducteur a été concentré dans la figure du pédagogue et où le sociologue se pose comme l'Autre du pédagogue qu'il est *ipso facto* mis en position de dénonciateur véridique.

Le sociologue peut faire la « leçon sur la leçon » *parce que* le pédagogue *ne peut pas* la faire. Autrement dit, la sociologie nouvelle proposée par Bourdieu n'est la science du social que dans la mesure où celui-ci se réduit à la dissimulation de soi.

On en comprend les raisons : si la « méconnaissance » ou la « dénégation » avaient pour vérité la reproduction des rapports de production, le savant spécialiste de la méconnaissance verrait son « caché » se résoudre dans la science étrangère des rapports de production et se dissoudre dans la pratique du dévoilement et de la transformation politiques. Toute sa science consiste à résister à cette double menace, à démontrer partout l'irréductible efficace du « caché ». Il est par exemple trop connu que les enfants des classes populaires sont presque totalement exclus de l'Université et trop évident que leur infériorité culturelle est la conséquence de leur infériorité économique. Le sociologue ne gagnera « sa » science que s'il peut creuser cette trop évidente conséquence du cercle de la méconnaissance nécessaire. Ce cercle parfait s'établira en deux propositions :

1. Les enfants des classes populaires sont exclus de l'Université parce qu'ils ignorent les vraies raisons pour lesquelles ils en sont exclus *(les Héritiers)*.

2. La méconnaissance des vraies raisons pour lesquelles ils sont exclus est un effet de structure produit par l'existence même du système qui les exclut *(La Reproduction)*.

Soit en résumé : ils sont exclus parce qu'ils ne savent pas pourquoi ils sont exclus ; et ils ne savent pas pourquoi ils sont exclus parce qu'ils sont exclus. La tautologie de la démonstration devient la nécessité de sa méconnaissance. Le sociologue s'installe dans la position de dénonciateur éternel d'un système doté de la capacité de se voiler éternellement à ses agents : « L'ordre établi et la distribution du capital qui en est le fondement contribuent à leur propre perpétuation par leur existence même, c'est-à-dire par l'effet symbolique qu'ils exercent dès qu'ils s'affirment publiquement et officiellement et qu'ils sont par là même (mé)connus et reconnus [33]. »

Cercle parfait du « c'est-à-dire » et du « par là même », de *l'existence même* et de son *surcroît*. Il est impossible d'imaginer que l'ordre puisse jamais cesser de contribuer « par son existence même » à sa « propre perpétuation » ; impossible donc qu'il ne (re)produise pas perpétuellement ce surcroît de la méconnaissance appelé à se redoubler en méconnaissance de la méconnaissance et ainsi de suite à l'infini. La mécanique théorique de l'effet Bourdieu peut se résumer dans le jeu de ces deux propositions :

1. Le système reproduit son existence parce qu'il est méconnu.

2. Le système opère, par la reproduction de son existence, un effet de méconnaissance.

Impossible dès lors que l'*intérêt* dévoilé par le sociologue puisse jamais se résoudre dans une science des rapports de production ni se dissoudre dans une critique militante. Chaque élément de la matrice fonctionne en effet alternativement comme dissimulation de l'autre. Considérons par exemple cette autre évidence commune que les plus riches vont manger dans les restaurants les plus chers. La science établira sa dignité à démontrer que :

1. Ils n'y vont pas parce qu'ils sont plus riches mais pour se distinguer de la vulgarité des plus pauvres. En bref, cette consommation alimentaire est, en fait, une conversion de capital économique en capital culturel.

2. Cette « véritable » raison ne peut opérer que si elle est méconnue.

Cette méconnaissance s'établit elle-même de deux manières :

1. Ils doivent s'imaginer qu'ils vont satisfaire au plaisir de bien manger dans un endroit agréable pour se dissimuler qu'ils sacrifient à un rituel obligé de distinction.

2. Ils doivent sacrifier aux rituels de la distinction pour se dissimuler l'exercice brut de leur privilège économique.

On sait, de reste, que les pauvres font de même, à la mesure de leurs moyens. Ainsi serions-nous naïfs de croire qu'ils mangent plus simplement parce que leur budget alimentaire est plus

---

33. *Le Sens pratique*, p. 233.

serré. Il faut comprendre qu'ils mangent plus simplement parce qu'ils n'aiment pas les chichis et qu'ils n'aiment pas les chichis parce qu'ils ont besoin de se dissimuler qu'ils n'ont pas les moyens d'en faire [34]. Bref, à la différence du train, la dissimulation en cache *toujours* une autre : il y a toujours une raison cachée de (se) cacher la raison cachée. La science du sociologue s'apparente alors au dépistage de cette lettre volée qui, à s'exposer au regard, cache qu'elle n'est pas cachée — ce qu'effectivement *personne* ne peut *voir* [35].

Les faux frères

Mais, pour que la machination de la lettre volée trouve sa pleine efficacité, il faut un certain contexte : de famille et de faute. Dupin rappelle au ministre que :

Un forfait si funeste
S'il n'est digne d'Atrée est digne de Thyeste [36].

De la même façon, les paradoxes de Pierre Bourdieu, pour être plus qu'un jeu de société, doivent mettre en action un ressort de fraternité coupable. La *Leçon sur la leçon* se défend de faire appel au ressentiment et à la culpabilité. Mais ces déclarations de principe ne peuvent rien changer à la logique de cette science paradoxale. En ruinant les militantismes de l'éducation et les pédagogies de la dénonciation, elle a assuré cette « dissimulation » qui lui donne son objet. Mais elle a du même coup repris à son compte les attributs du pédagogue et du militant. A tous elle peut montrer que, si l'on ne voit pas ce qui pourtant saute aux yeux, c'est parce qu'*on ne veut pas le voir*. Là encore, elle aménage sa parfaite circularité par l'usage des théories contradictoires. Elle joue sur le glissement entre la *méconnaissance* qui tend vers la science de l'inconscient freudien et la *dénégation* qui tend vers la dénonciation sartrienne de la mauvaise foi, entre la nécessité qui s'impose aux naïvetés militantes et le refus de voir qui désigne la culpabilité de l'intellectuel bourgeois. Réfutant au pas de charge l'« anthropologie

---

34. Cf., dans *La Distinction*, les chap. 3 et 7.
35. Cf. *Leçon sur la leçon*, p. 30, renvoyant évidemment à l'analyse faite par Jacques LACAN (*Ecrits*, p. 11-61) de la nouvelle d'Edgar Poe. Voir aussi Jean-Claude MILNER, « Retour à la lettre volée », *Cahiers de poétique comparée*, 1982.
36. Sur le rôle joué dans *La Lettre volée* par cette citation de l'*Atrée* de Crébillon et par le thème « fraternel », voir l'article sus-mentionné de J.-C. Milner.

imaginaire » [37] de Sartre, elle lui emprunte pourtant le thème de la « distinction » comme euphémisation de la domination bourgeoise [38], et l'incitation morale à avouer sa « mauvaise foi » qui en rend crédible l'analyse. La philosophie « subjectiviste » de la culpabilité et de l'engagement que la science prétend récuser est en réalité nécessaire pour assurer la consistance de ses démonstrations. En vain demanderait-elle cette consistance aux rigueurs du vocabulaire et de la forme mathématiques, comme en ce théorème de *La Distinction* : « A un volume déterminé de capital hérité correspond un *faisceau de trajectoires* à peu près équiprobables conduisant à des positions à peu près équivalentes. C'est le champ des possibles objectivement offert à un agent déterminé [39]. » Tous les « équi- » du monde ne laveront pas ce théorème de son vice initial : ce « volume déterminé » est précisément indéterminable — la conversion du capital économique en capital culturel est impossible à chiffrer. Les statistiques du sociologue ni ses enquêtes n'y peuvent remédier : les premières accentuent la domination économique qui devrait être dissimulée, les secondes s'en remettent à ce que veut bien dire le sujet qu'il faudrait surprendre. Reste, pour assurer la véridicité de la science, le sentiment de culpabilité de « l'héritier » obligé de reconnaître qu'il jouit bien d'un privilège et qu'il fait tout pour *ne pas le voir*. C'est ce sentiment qui opère le calcul et avoue la dissimulation nécessaire à la transformation de la tautologie en proposition scientifique. C'est lui qui assure le sociologue de son double effet : la démonstration de la méconnaissance qu'il est seul à connaître et à savoir irréductible ; l'index posé sur la réalité triviale que son distingué contradicteur ne veut pas voir. Ainsi installe-t-il la royauté de sa science militante entre la méconnaissance du « dépossédé » et la « dénégation » de l'héritier. Le premier ne peut pas voir son « intérêt objectif » et il le peut d'autant moins que le système ne lui en concède aucun [40]. Le second ne veut pas s'avouer son dégoût pour le vulgaire et ses investissements

---

37. Cf. le chap. 2 du *Sens pratique* et « Le Mort saisit le vif », ARSS, 1980, n° 32-33.

38. Cf. *La Critique de la raison dialectique*, p. 716 et sq., ainsi que *L'Idiot de la famille*.

39. *La Distinction*, p. 122.

40. « C'est sans doute sur le terrain de l'éducation et de la culture que les membres des classes dominées ont le moins de chances de découvrir leur intérêt objectif » (*La Distinction*, p. 452). Mais *La Reproduction* n'a-t-elle pas fait de tout « intérêt objectif » des dominés en la matière une contradiction dans les termes ?

forcenés sur le marché des distinctions. Chacun des deux est ainsi condamné à reproduire sa position selon sa propre manière de « ne pas voir ». Et ils sont surtout condamnés à ne se rencontrer jamais, enfermés qu'ils sont, l'un dans la reproduction de sa force de travail, l'autre dans les surenchères de la distinction.

Ainsi se trouve ruinée l'éthique aristo-démocratique qui soutenait l'*Essai sur le don* comme elle avait soutenu les rêves d'une *paideia* démocratique auxquels la jeune sociologie avait lié son projet. Cette éthique présupposait que les classes pouvaient communiquer parce qu'il y avait partout du « noble », partout ces manifestations de « générosité » et de « civilité » qui excédaient la réunion ou le conflit des intérêts économiques. Il n'y a plus désormais que la solitude des dénégations et des méconnaissances. De ce que toute « générosité » est un intérêt « officialisé » se tire l'impossibilité de toute pédagogie progressiste et de toute communication culturelle.

En s'attaquant à l'esthétique kantienne, Pierre Bourdieu s'attaque au cœur du problème. Dans la *Critique du jugement*, l'affirmation de l'universalité virtuelle du jugement de goût et de son caractère désintéressé avait cette fonction fondamentale : elle affirmait, avec l'existence d'un « sens commun », la possibilité de la communication, l'espérance progressiste du temps ; celle d'un langage possible entre les classes [41]. On sait comment cette espérance progressiste s'est trouvée mise en pièces par la critique marxiste de l'idéologie. A la « communication » de la foi progressiste, celle-ci opposa l'exigence de la destruction des rapports de domination, seule propre à permettre l'instauration d'une société de l'échange désintéressé. Maintenant que cette espérance est elle-même passée aux profits et pertes de l'histoire, le sociologue peut tailler dans ce double deuil les habits neufs de sa royauté. Avec la critique marxiste, il établira que toute pensée du don et de la communication est dénégation de la division en classes. Et il montrera cette division inscrite dans les plus infimes détails de la posture ou du comportement quotidiens. Mais il sait, lui, que toute volonté de surmonter la division est elle-même vouée à la dénégation ou à la méconnaissance. Cette lutte des classes qu'il commande à son tour de ne jamais oublier est désormais une vérité éternelle dont

41. Cf. KANT, *Critique du jugement*, trad. J. Gibelin, Vrin, 1960, § 60, appendice, p. 168.

il aura seul le privilège de dénoncer éternellement l'irrémédiable oubli.

La double vérité de la science

Il est vrai que cette solitude est quelque peu partagée. Rien de plus banal, dans l'intelligentsia postdémocratique et postmarxiste, que cette pensée de la « démystification » qui fait son profit du double deuil et triomphe sans risque à montrer partout l'intérêt économique et le conflit social « dissimulés » dans les hauteurs de l'éthique et de l'esthétique. « Iconoclasme » devenu l'ordinaire de l'ordre des pensées, où un marxisme désabusé mais toujours agressif donne les couleurs du ressentiment à la vieille sagesse libérale selon laquelle les intérêts, même déniés, ne sauraient cesser de gouverner le monde.

Il y eut l'éthique progressiste des lumières et de la solidarité qui devaient unir les classes ; il y eut l'éthique marxiste de la critique et du combat qui devaient les supprimer. Reste aujourd'hui l'éthique du soupçon qui fait entrer toute pratique et tout discours dans les calculs d'une économie plus ou moins raffinée et de la culpabilité qui rappelle la dernière instance de tous ces marchés florissants : la simple économie de la dépossession des dépossédés dont toute prétention de noblesse doit se savoir complice. Cette divulgation de secrets qui courent les rues assure le plaisir toujours renouvelé de la « lucidité » qui affirme de tout « ceci » qu'il n'est que « cela » et pénètre les raisons cachées pour lesquelles le voisin ne peut ou ne veut voir cette évidence. A charge de revanche pour le voisin : la « lucidité » de la démystification devient le résidu offert à tous du « bon sens » cartésien ou du « sens commun » kantien dans un monde averti que toute communication et tout partage sont un mauvais rêve.

En vain donc le sociologue veut-il jouer les trouble-fête en se targuant d'apporter cette socratique distance « qui fait que la conformité même prend un air d'hérésie ou d'ironie [42] ». Exception faite de quelques fossiles, il n'est pas aujourd'hui une pensée conforme qui ne s'annonce complaisamment comme le bouleversement inouï de tout ce que chacun croit. En vain s'accuse-t-il de faire vaciller « la croyance qui est la condition

---

42. *Leçon sur la leçon*, p. 54.

ordinaire du fonctionnement heureux de l'institution [43] ». Les institutions aujourd'hui, et tout spécialement la sienne, ne marchent que par cette institutionnalisation de l'incroyance qui donne à chaque sujet le gonflement de vanité qui l'assoit à sa place.

Il faut donc à la pensée qui veut se distinguer des ordinaires démystifications du ressentiment un tour de plus. Le réalisme de l'index accusateur qui obligeait le dénégateur à voir les maillots de corps et les assiettes de fayots du peuple doit se retourner dans le savoir apaisé que « les fonctions sociales sont des fictions sociales [44] » ; que ce terrible « social » est simplement le tissu des récits que tout un chacun brode pour échapper à l'absurdité nue de son absence de destin ; et que la « raison suffisante » organisant l'univers de la reproduction et des distinctions a la légèreté d'un « jeu réglé » où les partenaires, comme les Bleus et les Verts à Byzance, ont leur univers entier structuré par le seul arbitraire des casaques qu'ils endossent [45].

Retournement dernier auquel le fonctionnalisme militant du « tout se passe comme si » est d'autant plus accessible qu'il a donné à tous les événements et les accessoires de son univers l'absolue fonctionnalité qui n'appartient qu'à l'interprétation des contes. Le savoir pascalien de la misère humaine donne alors sa tonalité distinguée au discours de l'élite qui met à distance le tout-venant de la pensée démystificatrice en avouant l'équivalence des solides positivités de la science sociale avec les distributions du conte et les rituels de la magie.

Ce retournement s'effectue par un nouveau jeu de prêté et rendu, qui s'opère ici entre le sociologue et l'historien. D'un côté, le sociologue lève à l'avantage de la communauté historienne l'ultimatum que la jeune sociologie, par la voix de François Simiand, avait, au début du siècle, lancé aux historiens : la bourse ou la vie ; ou, si l'on veut, l'économie ou la mort : la rigueur des séries ou les vanités de la croyance. A l'interminable problème des *Annales* : comment *qualifier* l'espace compris entre l'austérité des morphologies ou des séries mathématiques et le chatoiement des croyances qui font vivre les hommes, il apporte la solution : une économie des positions et des translations du jeu social, où chaque position détermine un

---

43. *Ibid.*, p. 55.
44. *Ibid.*, p. 49.
45. *Ibid.*, p. 45-46.

habitus, où chaque croyance peut se mettre en abscisse et ordonnée. Il donne ainsi à l'historien le continent qui relie ses icebergs. L'historien, en contrepartie, donne aux positivités compactes du sociologue la transparence des mêmes icebergs et dépouille de leur hargne dénonciatrice ses cartes de la Vérité et de la Dénégation. Cycliquement ramené au principe sceptique de sa profession (toute « réalité incontournable » se donne à connaître par un document où s'impose l'arbitraire d'un intellect imageant [46]), il fait don au sociologue de la forme la mieux élaborée et la plus distinguée de ce scepticisme professionnel : sur le territoire de l'historien, il n'y a que des « palais de l'imagination » construits en fonction de tel ou tel « programme de vérité » [47]. Accession à la plus haute sagesse qui commande de laisser aux demi-habiles et à l'ordinaire des professeurs les platitudes de la vérité exhibée.

C'est bien le moins que le sociologue des distinctions se plie aux prescriptions de sa propre science et ajuste l'habitus scientifique aux déplacements de la position du savant. Ainsi la *Leçon sur la leçon* est-elle un rite d'adoubement. L'impénétrant au temple de la science supérieure est tenu d'y dépouiller l'agressivité du professeur à l'index pointé sur la vérité refoulée pour le scepticisme du sage qui connaît les errements de la volonté de vérité. Car la vérité, dit l'un des sages qui l'accueillent, n'est rien que « la pellicule d'autosatisfaction grégaire qui nous sépare de la volonté de puissance [48] ».

Double vérité du savoir social. Il a commencé par renvoyer les mythes de l'ignorant aux positivités de la science. Il renvoie maintenant le savoir démystificateur des demi-habiles à la déraison première qui fonde toute raison comme simple « clairière dans le néant » [49]. D'un côté, il est *récit sur le peuple*, où prennent leurs raisons les réformes soucieuses de démocratiser l'enseignement en ramenant la masse des héritiers de seconde classe à la modestie de leur service pédagogique [50]. De l'autre,

---

46. Pour la version classique et platement « positiviste » de ce scepticisme professionnel, on trouvera toujours rafraîchissante la lecture de Charles SEIGNOBOS, *La Méthode historique appliquée aux sciences sociales*, Paris, 1901.

47. Paul VEYNE, *Les Grecs croyaient-ils à leurs mythes ?*, Seuil, 1983.

48. *Ibid.*, p. 137. A ceux qui n'auraient lu ni Nietzsche ni Gilles Deleuze, il convient peut-être de rappeler que la « volonté de puissance » n'est pas le désir du pouvoir mais tout au contraire l'état de celui qui n'a plus de pouvoir à désirer.

49. *Ibid.*, p. 131.

50. Voir plus loin Stéphane DOUAILLER, « Démocratie sociale et cuisine pédagogique ».

il est *récit sur le récit*, réservant à une petite élite le savoir amer que l'inégalité sociale est inhérente à la nature « diacritique » du signe [51]. Ainsi chaque rang dans la hiérarchie du savoir reçoit-il la raison qui lui convient et le monde de la pensée est-il en ordre, de la Maternelle au Collège de France. Ainsi la démocratie conçoit-elle aujourd'hui sa nature et son enseignement.

Jacques RANCIÈRE

51. Pierre BOURDIEU, *Ce que parler veut dire*, Fayard, 1982.

L'école et l'enfance de la sociologie

Si l'histoire des sciences est un enjeu de l'entreprise scientifique présente, il faut porter la plus grande attention aux opérations de référence par lesquelles sont évoquées ou réactualisées les thèses des grands ancêtres. On s'interrogera ici sur cette relation au passé à propos du rapport de la science sociale à la pédagogie, en examinant l'histoire (ou la légende) d'un Durkheim sociologue de l'éducation.

On sait que l'une des causes de « la tendance à l'autoreproduction du système scolaire » réside dans le fait que le professeur ne règle son action pédagogique que sur l'imitation de ses propres maîtres. L'étude des « fondements de la violence symbolique » que conduit Pierre Bourdieu dans *La Reproduction* se réfère explicitement à Durkheim [1]. L'autoreproduction s'accomplit complètement dans un système où la pédagogie reste implicite, où les enseignants ne possèdent de principes qu'à l'état pratique, explique le sociologue contemporain, et il signale l'origine de cette thèse en citant le père fondateur : « On dit que

---

1. P. BOURDIEU et J.-C. PASSERON, *La Reproduction : éléments pour une théorie du système d'enseignement*, Ed. de Minuit, 1970, p. 76-77. Référence curieusement oubliée dans l'index (voir p. 269-279).

le jeune maître se réglera sur les souvenirs de sa vie de lycée et de sa vie d'étudiant ? Ne voit-on pas que c'est décréter la perpétuité de la routine. Car alors le professeur de demain ne pourra que répéter les gestes de son professeur d'hier et, comme celui-ci ne faisait lui-même qu'imiter son propre maître, on ne voit pas comment, dans cette suite ininterrompue de modèles qui se reproduisent les uns les autres, pourra jamais s'introduire quelque nouveauté [2]. »

L'adéquation des deux textes, qui fait apparaître Durkheim comme le grand-père des thèses de *La Reproduction*, pose deux questions : quels sont les liens de complicité que la pédagogie implicite entretient avec la reproduction des inégalités d'éducation ? Quelles sont les conditions de possibilité d'une approche théorique rigoureuse de cette logique implicite de la pratique (pédagogique) ?

La première ne peut être abordée directement sans rappeler les différences essentielles entre le système d'enseignement de la IIIe République et la situation actuelle, et il est courant de relever les anachronismes auxquels donne lieu la référence incontrôlée au texte durkheimien. Les fonctions spécifiques de l'école primaire du début du siècle, la pédagogie *explicite* qui en règle le fonctionnement, le public populaire qu'elle accueille dans un réseau sans passerelles avec l'enseignement secondaire en déterminent l'autonomie absolue. Reste la constante historique : le mépris pour la pédagogie propre aux professeurs et la volonté constante, à mesure qu'on s'élève dans la hiérarchie universitaire, de rompre avec le style d'enseignement des ordres inférieurs et de montrer qu'on a dépassé la pédagogie.

On connaît la figure qui verrouille sur elle-même la machine scolaire telle que l'analyse Bourdieu et qui voue à l'échec les tentatives de l'amender : un professeur qui tenterait d'échapper aux règles du jeu de la reproduction « s'exposerait à apparaître aux yeux de ses étudiants comme un instituteur égaré dans l'enseignement supérieur [3] ».

Il faut confronter cette image de l'improbable vérité du jeu social et de la machine reproductive que dévoilerait le savoir sociologique avec les textes durkheimiens pour lesquels l'impensable résidait, au contraire, dans le moderne projet

---

2. E. DURKHEIM, *L'Evolution pédagogique en France*, cité par P. BOURDIEU et J.-C. PASSERON, *La Reproduction*, p. 77.

3. *La Reproduction*, p. 141.

sociologique de « traiter le rapport pédagogique comme un simple rapport de communication pour en mesurer le rendement informatif [4] ».

Deux ouvrages de Durkheim sont consacrés aux questions d'éducation et d'enseignement, tous deux publiés après sa mort, *L'Education morale* (1925) et *L'Evolution pédagogique en France* (1938) [5]. Ils reprennent (jusque dans leur forme : 18 chapitres = 18 leçons) des cours professés à la Sorbonne. Pour le premier, les leçons faites à partir de 1902, en tant que suppléant dans la chaire de « Science de l'éducation », devant un public d'instituteurs. *L'Evolution pédagogique* a son origine dans un cours de pédagogie pour tous les candidats à l'agrégation institué en 1904. Durkheim y exhorte les futurs professeurs à rompre avec la routine, la pédagogie implicite et la reproduction de leur passé scolaire, et à se convertir à la « foi pédagogique ». La leçon est-elle sociologique ou pédagogique [6] ?

La porte étroite

« Les trois semaines qui viennent de s'écouler ont été pour moi trois semaines d'obsession où j'ai tourné et retourné dans tous les sens la question de savoir si je poserai ma candidature à la succession de Buisson [7]. »

« Non, mon cher ami, écrit Durkheim à Célestin Bouglé le 8 juin 1902, je ne serai pas candidat. Je me diminuerai dans la

4. *Ibid.*, p. 133.
5. Ils constituent, avec le recueil *Education et sociologie*, lui aussi posthume, l'essentiel des contributions durkheimiennes aux questions d'éducation. On consultera aussi dans les *Textes*, publiés par V. Karady, le chap. 4 du t. III et dans le t. II certains des textes du chap. 3 (« Morale et science des mœurs »).
6. Le présent travail a été rendu possible par les progrès récents en histoire des sciences sociales. Il doit son existence aux ouvrages suivants :
— Numéros spéciaux de la *Revue française de sociologie*, 1976, 17 (2) ; 1979, 20 (1) ; 1981, 22 (3) ; et *Etudes durkheimiennes*, bulletins du Groupe d'études durkheimiennes de la Maison des sciences de l'homme ; coordonnés par Philippe Besnard ;
— *Textes*, organisés et présentés par V. Karady, Minuit, 1975, 3 vol. ;
— B. LACROIX, *Durkheim et le politique*, Presses de la Fondation nationale des sciences politiques, 1981 ;
— M. CHERKAOUI, « Système social et savoir scolaire », *Revue française de science politique*, 28 (2) ; 1978.
7. Lettre de Durkheim à Camille Jullian du 28/6/1902, reproduite in *Etudes durkheimiennes*, n° 7, juin 1982, p. 3.

bagarre sans profit sérieux [8]. » « Me voyez-vous dans cette
mêlée ? » ajoute-t-il. Il ne s'agit pas de quitter Bordeaux pour
Paris et de parvenir à la Sorbonne dans n'importe quelles
conditions.

« [...] administrativement sans doute, ma demande se justifierait très bien car si je ne me trompe, depuis que Thamin s'est
orienté dans une autre voie, je suis le plus vieux pédagogue de
province [...] mais, évidemment, ce n'est pas ma spécialité, on
ne me pense pas comme tel. J'aurais donc l'air de quelqu'un
qui cherche un biais quelconque pour se glisser à Paris ; or il
me répugne de prendre cette apparence, d'autant plus qu'elle
ne correspond pas du tout à mon état d'esprit [9]. » Si, comme
le relevait Halbwachs, la sociologie s'est introduite à la Sorbonne « par la porte étroite de la pédagogie », il importe de rappeler dans quel état d'esprit s'est effectuée cette effraction.
Durkheim, qui conclut sa lettre à Lévy-Bruhl par cet aveu :
« Maintenant, cher ami, je sais que je suis un pauvre politique », semble, en effet, bien moins stratège que velléitaire. Et,
lorsqu'enfin il a pris une décision, il écrit à Bouglé : « Pour ce
qui est de moi, je ne me sens pas plus d'enthousiasme qu'avant
pour la combinaison et je me demande si je fais ce que je dois,
si je ne vais pas me mettre dans l'impossibilité de faire la seule
chose à laquelle je sois bon [10]. » Il ne s'agit pas seulement de
sauver les apparences (ou de savoir se faire prier), mais aussi
d'un manque d'enthousiasme certain pour la pédagogie, même
sous l'appellation flatteuse de « science de l'éducation ». « Je
me sens peu attiré pour cet enseignement où je n'ai qu'une compétence partielle et dont le caractère ambigu (art et science à
la fois) répond assez mal à mes dispositions [11]. » Ainsi, le plus
vieux pédagogue de province (il a enseigné cette matière pendant onze ans à Bordeaux) estime que « de toutes manières, le
meilleur de la pédagogie est sociologique [12] » et préférerait
assurément n'enseigner que ce meilleur.

« La suppléance de Buisson m'aurait peut-être permis de faire
d'assez bonne besogne, si j'avais pu arranger cet enseignement

---

8. Lettre à C. Bouglé du 8 juin 1902, reproduite dans DURKHEIM *Textes* édités
par V. Karady, Minuit, 1975, t. II, p. 435.

9. Lettre à L. Lévy-Bruhl du 6 mai 1905, reproduite in G. DAVY, *L'Homme*,
Mouton, 1973.

10. Lettre à Bouglé (19/6/1902) reproduite in *Textes, op. cit.*, p. 437.

11. Lettre à Lévy-Bruhl, déjà citée.

12. Lettre à Bouglé (1902) reproduite in *Textes, op. cit.*, p. 434.

à ma façon ; mais pour cela il eût fallu que l'on sentît plus vivement qu'on ne le sent le besoin d'un enseignement sociologique [13]. » Et si l'on veut, au passage, un indice de la manière dont Durkheim pouvait se penser comme l'incarnation de la sociologie, on rapprochera le passage précédent de cet autre extrait : « Peut-être certains de ces graves inconvénients disparaîtraient-ils si l'on ne voyait dans cette suppléance qu'un moyen de m'utiliser tout entier sans se laisser trop arrêter par la rubrique du cours, mais il ne semble pas que l'on sente tant que cela le besoin de m'avoir [14]. »

Si l'objet scientifique n'est jamais donné mais toujours construit, il faut rappeler ce que la donne du jeu académique et universitaire qui préside au partage des compétences et des champs de recherche a d'aléatoire et d'arbitraire au regard des exigences de la démarche scientifique (et donc de nécessaire à l'égard du social). Durkheim ne rencontre pas d'abord l'éducation (comme objet de savoir), mais bien la pédagogie (comme matière d'enseignement).

L'épisode de la chaire de « science de l'éducation » devait être rappelé et devrait être confronté avec ce récit des origines qui consiste à présenter la sociologie comme un savoir politique qui n'aurait pu s'avancer que masqué dans l'Université. Selon ce point de vue, le coup joué par Durkheim a consisté à occuper un espace institutionnel où la sociologie naissante pouvait bénéficier d'une relative autonomie à l'égard des problématiques obligées de l'époque. La stratégie de légitimation universitaire de la discipline lui aurait permis de produire un discours savant libéré de la commande sociale, une science du social affranchie, au moins relativement, du social. Sans cette fraude ou cette ruse, l'existence même de la sociologie eût été hautement improbable [15].

On vient de voir comment au moins l'un des aspects de la « commande sociale » — la pédagogie — s'est imposé à Durkheim. Ce n'est pas sans réticences qu'il a occupé la place. Reste à savoir dans quelle mesure, comme le prétend la théorie de la ruse épistémologique, il a utilisé la chaire pour produire, en lieu et place de ce qui était demandé ou attendu, un savoir sur l'éducation ou sur le système d'enseignement que personne ne lui

13. Lettre à Bouglé du 8/6/1902, déjà citée.
14. Lettre à Lévy-Bruhl, déjà citée.
15. P. BOURDIEU, *Questions de sociologie*, p. 48.

41

avait demandé. Question délicate puisque l'espace ainsi offert à Durkheim, la suppléance de Buisson, se voulait déjà « scientifique » : la chaire de « science de l'éducation » occupée jusque-là par les philosophes Marion et Buisson. La pédagogie ne saurait être, en elle-même, une telle science, et c'est justement son caractère « mixte » (« art et science à la fois ») qui alimente les inquiétudes et les hésitations du savant. Ces réticences à l'égard de cette « théorie pratique » qu'est la pédagogie n'ont pas empêché Durkheim de pédagogiser parfois [16].

Education et sociologie

L'idée selon laquelle Durkheim aurait contribué à l'élaboration d'une sociologie de l'éducation mérite d'être réexaminée. Un certain nombre de faits attestent au contraire que, malgré quelques déclarations explicites [17], Durkheim s'est refusé à constituer en objets d'investigation (et, partant, à objectiver) les processus éducatifs et scolaires qui se déroulaient dans la société et l'école auxquelles il appartenait. (Ces faits sont à mettre en relation avec le maintien permanent chez lui d'un discours pédagogique — moraliste et volontariste — et avec l'intérêt croissant qu'il portera, à partir de 1895, à l'étude des faits religieux.)

1. C'est d'abord la rareté, dans *L'Année sociologique*, des études ou comptes rendus portant sur l'éducation ou sur les nombreuses publications traitant le thème éducation et société [18]. Si on comprend que la toute jeune *Année sociologique* (vol. I, 1898) ne souffle mot de la longue étude qu'a publiée Léon Gérin dans plusieurs livraisons de *La Science sociale* des continuateurs de Le Play [19], il est beaucoup plus étonnant

---

16. C'est dans l'article « Pédagogie » du *Nouveau Dictionnaire pédagogique* de F. Buisson que Durkheim a développé de la façon la plus élaborée sa conception de la pédagogie, des rapports entre science et art et une conception originale des « théories pratiques ».

17. En particulier dans les textes rassemblés dans *Education et sociologie*, comme l'article « Pédagogie » du *Dictionnaire* de Buisson, où l'idée de sociologie de l'éducation est toujours présentée de manière programmatique.

18. Voir, sur ce point, M. CHERKAOUI, « Les effets sociaux de l'école selon P. Lapie », *Revue française de sociologie*, XX (1), 1979, p. 239.

19. Léon GÉRIN, « La loi naturelle du développement de l'instruction populaire », *La Science sociale*, (1897-1898).

qu'elle n'ait jamais rendu compte des travaux de ce proche collaborateur de la revue qu'était Paul Lapie.

2. Le cas de Paul Lapie est remarquable. Ses travaux, rassemblés dans *L'Ecole et les écoliers* (Alcan, 1923), ont porté sur les effets sociaux de l'école (1904) ; l'école et la criminalité juvénile (1911) ; les facteurs de la réussite scolaire (1912). M. Cherkaoui, en insistant sur « le caractère pionnier de ces recherches », avance que « la problématique sociologique qui s'y développe est, à quelques nuances près, celle des sociologues d'aujourd'hui ; le type de démonstration qui s'y déploie comme l'usage de nouveaux instruments d'investigation mis en œuvre étonnent par leur rigueur [20] ». L'absence de recherches du même ordre dans l'œuvre sociologique de Durkheim et le silence fait dans l'école durkheimienne autour de ces travaux n'en sont que plus significatifs.

3. Une approche scientifique des réalités éducatives et scolaires était bien à l'ordre du jour. Ce dont témoigne aussi l'itinéraire personnel d'Alfred Binet. Contre le partage trop commode dans l'histoire des sciences sociales et pédagogiques entre psychologie et sociologie, il faut restituer le champ, peu à peu élaboré par Binet, dans toute sa complexité [21]. Alors que les déterminations sociales paraissent à l'origine tout à fait étrangères à l'objet de la psychologie, l'intérêt que porte Binet aux questions de pédagogie expérimentale, le conduit à une tentative de réponses théoriques en termes de psychologie sociale à la question de l'influence sociale. « A fréquenter les milieux scolaires, à y observer sans dogmatisme théorique les conduites des enfants, Binet est bientôt confronté aux dimensions sociales des comportements qu'il étudie. Explorant les rapports de la mémoire et de la fatigue chez les enfants scolarisés, il découvre le rôle déterminant du milieu familial et, plus généralement, des conditions physiques et sociales de la vie de ces enfants, pour rendre compte de la variance de leurs performances [22]. » Cette articulation des problématiques psychologiques et sociales

---

20. M. Cherkaoui, art. cité. Il faut ajouter que dans la notice nécrologique que lui consacrera Marcel Mauss (*L'Année sociologique*, nouv. sér., 1928), les travaux de sociologie de l'éducation de Lapie sont totalement passés sous silence.

21. Comme le fait l'étude d'Erika Apfelbaum, « Origines de la psychologie sociale en France », *Revue française de sociologie*, XXII (3), 1981 p. 397-407.

22. Erika Apfelbaum, art. cité.

recoupe, comme le note Erika Apfelbaum, la ligne de partage qui passe à l'intérieur du groupe des collaborateurs de Durkheim, autour de la question du psychologique. Lapie, comme Bouglé, a toujours affirmé, contre Durkheim, sa volonté de poursuivre l'effort de clarification des rapports entre sociologie et psychologie. Dès le premier volume de *L'Année sociologique*, il écrivait : « La sociologie est à la psychologie ce que la science du complexe est à la science du simple ; elle étudie les résultantes que produit la composition des forces psychologiques ; elle ne doit pas commencer par nier l'existence et la valeur des composantes, même si la résultante est différente des composantes [23]. » Déclaration méthodologique fort peu orthodoxe de la part de celui qui, à la différence de Durkheim, s'est efforcé de conduire des enquêtes sur les facteurs de la réussite scolaire ou les effets sociaux de l'école.

4. Dernier indice de cette « résistance » de Durkheim devant l'idée de sociologie de l'éducation, le fait qu'elle n'apparaît jamais à titre d'exemple comme une branche possible ou une spécialité de la sociologie dans les textes programmatiques ou synthétiques. Ainsi dans « Sociologie et sciences sociales [24] », lorsqu'il traite des « divisions de la sociologie : les sciences sociales particulières », Durkheim affirme bien qu'il y a, en droit, autant de branches de la sociologie que d'espèces différentes de faits sociaux (dont la classification méthodique est prématurée). Dans l'énumération des « manifestations vitales des sociétés » qui font l'objet de la physiologie sociale, Durkheim fait un sort à la sociologie religieuse, morale, juridique, économique, « branches principales ». Il évoque ensuite la possibilité de recherches sur le langage ou l'esthétique. L'éducation reste dans les points de suspension d'une énumération inachevée, dans l'implicite. A moins qu'elle ne soit au cœur de la sociologie générale, « science synthétique », « partie philosophique de la sociologie ».

Au total, on est en droit de s'interroger sur le recours en paternité qu'effectue la moderne sociologie de l'éducation à

---

23. Paul LAPIE, compte rendu de LABRIOLA, *Essais sur la conception matérialiste de l'histoire*, Giard et Brière, 1896. La confrontation avec le compte rendu du même ouvrage par Durkheim (repris dans *La Science sociale et l'action*, PUF, 1970) est éclairante.
24. Article de 1909, repris dans *La Science sociale et l'action, op. cit.* à

l'endroit de Durkheim. Qu'il ait abordé les problèmes de l'école, de l'éducation, de la pédagogie ne signifie pas pour autant qu'il ait su (ou même simplement voulu) soumettre cet ordre de « faits sociaux » à l'investigation savante.

Le détour

La question de la possibilité d'une science sociale de l'éducation et de son rapport avec la pédagogie n'est, en effet, qu'une illustration particulière de l'esprit qui anime toute l'entreprise durkheimienne. Bernard Lacroix montre que, si son projet originaire est politique, Durkheim se démarque dès l'origine du champ des sciences politiques de l'époque et dénonce leurs « spéculations bâtardes, à moitié sciences, à moitié arts [25] ». Cette distinction art/science est sans cesse réaffirmée, par exemple à propos de l'économie politique [26], ou de la pédagogie [27]. Il n'échappe donc jamais à la « tradition scolaire [28] ».

Cette bâtardise commune à la pédagogie et aux sciences politiques peut autoriser une lecture de *L'Education morale* comme l'œuvre « la plus achevée de la sociologie politique durkheimienne [29] ». Ce cours de « science de l'éducation » prononcé en 1902-1903 développe, en effet, une théorie de l'*autorité* qu'on peut lire tantôt comme la contribution à une morale que Durkheim n'a jamais achevée, tantôt comme un traité de pédagogie et enfin comme les prolégomènes à une science politique libérée de la bâtardise. Elle est dans le droit fil du projet originaire de répondre à la crise de la société : « la désunion nationale

25. Cité par B. LACROIX, *Durkheim et le politique*, Presses de la Fondation nationale des sciences politiques, 1981.

26. « L'économie politique est restée jusqu'à présent une étude hybride, intermédiaire entre l'art et la science » (« Sociologie et sciences sociales », art. cité).

27. « La pédagogie », *Education et sociologie*, art. cité, voir le commentaire qu'en donne M. DE CERTEAU, *L'Invention du quotidien*, t. I, AGE 10/18, 1980.

28. « L'analyse de la logique de la pratique serait sans doute plus avancée si la tradition scolaire n'avait toujours posé la question des rapports entre la théorie et la pratique en termes de *valeur*. C'est ainsi que, dans le fameux passage du *Théétète*, Platon fausse d'emblée le jeu lorsqu'au travers d'une description toute négative de la logique de la pratique qui n'est que l'envers d'une exaltation de la *skholé*, liberté à l'égard des contraintes et des urgences de la pratique qui est donnée pour condition *sine qua non* de l'accès à la vérité ("nos propos sont à nous comme des domestiques"), il offre aux intellectuels une théodicée de leur propre privilège » (P. BOURDIEU, *Le Sens pratique*, p. 47).

29. B. LACROIX, *op. cit.*, p. 178.

appelle à constituer une nouvelle morale et à l'enseigner [30] », projet indissolublement théorique et pratique. Et Durkheim n'a jamais varié sur ce point jusqu'à son dernier écrit, sa *Morale* laissée inachevée : « Il n'y a pas de science digne de ce nom qui ne se termine en art : autrement, elle ne serait que jeu, distraction intellectuelle, érudition pure et simple [31]. » Mais le mouvement même qui conjugue les exigences de la science et les impératifs de l'action aboutit à mieux les dissocier. Durkheim, comme le note B. Lacroix, « s'enferme dans une conduite magique ; tout se passe comme s'il était trop heureux de découvrir que science rime avec prudence aussi bien qu'avec patience, quoique, par ailleurs, il fasse tout pour se convaincre que l'investigation scientifique est déjà action [32] ».

La position la plus favorable à l'accomplissement d'une recherche scientifique qui soit, en elle-même, une pratique sociale est celle de professeur. Mieux, de professeur de pédagogie, agissant à travers la formation des enseignants, sur l'éducation des générations futures. Mais une sociologie encore dans l'enfance (porteuse d'espoirs, mais prenant le temps de l'investigation patiente, à l'inverse des spéculations bâtardes) ne peut raisonnablement répondre de manière assurée aux questions actuelles, va répétant Durkheim.

La forme spécifique du détour et du délai propres à l'investigation scientifique du social est le recours à l'étude historique. Mais, paradoxalement, une histoire de l'enseignement secondaire faite sous la forme de leçons données à de futurs enseignants réalise l'idéal d'une recherche savante qui est, en elle-même, une action. C'est le sens de tout le premier chapitre de *L'Evolution pédagogique*, placé sous le signe de la recherche d'une « foi pédagogique » nouvelle qui serait « l'âme même du corps enseignant » : « Au lieu de nous demander en quoi consiste l'idéal contemporain, c'est à l'autre bout de l'histoire qu'il faut nous transporter ; c'est l'idéal pédagogique le plus lointain, le premier qu'aient élaboré nos sociétés européennes, qu'il nous faut chercher à atteindre [33]. »

Le détour n'est pas fuite devant l'action s'il est « formateur ». Nulle défiance, en l'occurrence, envers le rendement de

---

30. B. LACROIX, *op. cit.*, p. 58.
31. Reproduit in *Textes*, présentés par V. Karady, vol. II, p. 313.
32. B. LACROIX, *op. cit.*, p. 86.
33. DURKHEIM, *L'Evolution pédagogique en France*, PUF, 1969, p. 20.

la communication, nulle volonté de déconstruire la mystification pédagogique. Le savoir sociologique se déploie dans et pour l'institution — sous la forme d'une recollection de sa propre histoire —, pour en imposer une représentation autorisée et, du même coup, agir sur la réalité sociale.

Pour autant, on retrouve dans *L'Evolution pédagogique* la dimension politique présente dans *L'Education morale*, et Bernard Lacroix et Mohamed Cherkaoui démontrent l'un et l'autre que c'est sans doute l'une des réalisations les plus élaborées de la démarche méthodologique durkheimienne [34]. Elle réside, pour l'essentiel, dans le recours à l'histoire. Pour comprendre une institution, il faut savoir de quoi elle est faite et l'histoire est l'instrument qui permet d'analyser les éléments dont elle se compose : « En un mot, l'histoire joue, dans l'ordre des réalités sociales, un rôle analogue à celui du microscope dans l'ordre des réalités physiques [35]. »

Ce qui, à l'œil nu d'une sociologie spontanée, peut apparaître comme une « région » de la réalité sociale, un ordre de phénomènes relevant d'une « branche » de la sociologie, un ensemble d'institutions parmi d'autres, relève chez Durkheim d'une démarche qui consiste à prendre ses distances avec les réalités présentes dans le détour théorique et historique.

Le raccourci

La place qu'occupe l'éducation dans l'ensemble des faits sociaux permet sans doute de comprendre la difficulté (inhérente à une science de ces faits sociaux) qu'il y a à en faire un objet « sociologique ». Définir de tels objets c'est, on le sait, la tâche du premier chapitre des *Règles de la méthode sociologique*. Leur caractère spécifique est livré à travers un paradoxal cogito sociologique : « Quand je m'acquitte de ma tâche de frère, d'époux ou de citoyen, quand j'exécute les engagements que j'ai contractés, je remplis des devoirs qui sont définis, en dehors de moi et de mes actes, dans le droit et dans les mœurs.

---

34. M. CHERKAOUI, « Système social et savoir scolaire », *Revue française de science politique*, 28 (2), 1978. L'analyse serrée de la démarche durkheimienne développée dans cet article aboutit à des conclusions sensiblement différentes de P. BOURDIEU, « Systèmes d'enseignement et systèmes de pensée », *Revue internationale des sciences sociales*, XIX (1), 1967. B. LACROIX, *op. cit.*, p. 122 et s.
35. DURKHEIM, « Sociologie et sciences sociales », art. cité.

Alors même qu'ils sont en accord avec mes sentiments propres et que j'en sens intérieurement la réalité, celle-ci ne laisse pas d'être objective ; car ce n'est pas moi qui les ai faits, mais je les ai reçus par l'éducation. » D'emblée, dans la définition même du fait social l'éducation est en jeu : « On peut, d'ailleurs, confirmer par une expérience caractéristique cette définition du fait social, il suffit d'observer la manière dont sont élevés les enfants. Quand on regarde les faits tels qu'ils sont et tels qu'ils ont toujours été, il saute aux yeux que toute éducation consiste dans un effort continu pour imposer à l'enfant des manières de voir, de sentir et d'agir auxquelles il ne serait pas spontanément arrivé [36]. »

L'éducation est au centre de la représentation de l'unité du social. Il y a continuité des faits de structure aux faits de fonctionnement : « les manières d'être ne sont que des manières de faire consolidées ». Comme l'amour chez Stendhal, l'institution n'est que la cristallisation d'une effervescence, de ce qui n'était d'abord qu'un « libre courant » non encore capté dans « un moule défini ».

Et cette continuité est condition de possibilité d'une connaissance positive des faits sociaux et fonde le schéma explicatif (théorie du substrat morphologique ou « milieu interne »). Elle permet la fondation d'une science sociale en rupture avec le modèle biologique ou organiciste : « L'habitude n'existe pas seulement à l'état d'immanence dans les actes successifs qu'elle détermine, mais, par un privilège dont nous ne trouvons pas d'exemple dans le règne biologique, elle s'exprime une fois pour toutes dans une formule qui se répète de bouche en bouche, qui se transmet par l'éducation, qui se fixe même par écrit [37]. »

En ce sens, à travers les variations et la complexité du modèle explicatif durkheimien, on peut comprendre que, si l'éducation est coextensive au social, toute sociologie porte sur l'éducation et la réticence de Durkheim à traiter de l'éducation autrement que par le détour historique cesse d'apparaître comme contingente. L'illustre encore, dans le même passage, la manière dont il se démarque de Spencer : « Il est vrai que, d'après M. Spencer, une éducation rationnelle devrait réprouver de tels procédés [i.e. les procédés d'éducation contraignants] et laisser faire l'enfant en toute liberté ; mais, comme cette théorie pédago-

36. Durkheim, *Règles de la méthode sociologique*, PUF, 1963, p. 9.
37. *Ibid.*, p. 9.

gique n'a jamais été pratiquée par aucun peuple connu, elle ne constitue qu'un *desideratum* personnel... »

Ce qui rend les faits d'éducation particulièrement instructifs, ajoute Durkheim, « c'est que l'éducation a justement pour objet de faire l'être social ; on peut donc y voir, comme en raccourci, de quelle manière cet être s'est constitué dans l'histoire ». Formule risquée en ce qu'elle ouvre la voie aux reconstructions psychologisantes selon lesquelles dans chaque enfance se rejoue l'histoire de l'humanité ? En tout cas, si dans les *Règles* l'histoire sert de métaphore à l'éducation, les termes de l'analogie sont renversés dans *L'Evolution pédagogique* : « En réalité, ce qui marque la Renaissance, c'est une crise de croissance dans l'histoire des sociétés européennes. Le Moyen Age c'est la période de l'enfance [...]. Maintenant, au contraire, au XVIᵉ siècle, ils sont entrés dans la période de la pleine jeunesse. Un sang plus riche, plus abondant circule dans leurs veines ; ils ont un surcroît d'énergie vitale à dépenser et ils cherchent à l'employer [...]. Les vieux cadres, incapables de contenir cette vie exubérante, ne pouvaient donc pas se maintenir, et voilà pour quelles raisons l'idéal pédagogique lui-même devait nécessairement se transformer. Des peuples dans toute la force de la jeunesse ne sauraient être élevés d'après le même système d'éducation que des peuples enfants, faibles et incertains de l'avenir [38]. »

Ce rapprochement ne signifie pas seulement qu'il est difficile d'échapper aux reconstructions de type comtien. La circularité de l'éducation à l'histoire, conséquence de la représentation durkheimienne du social, présente dès la définition de l'objet, se retrouve dans l'élaboration la plus achevée du modèle d'explication. *L'Evolution pédagogique* expose, en effet, comment le système du savoir scolaire et de l'organisation pédagogique est à la fois *résultante* (des rapports de forces politiques et du champ épistémologique d'une époque), *expression* (des structures, des idéaux et de leurs transformations) et *cause efficiente* (des représentations, catégories et systèmes de pensée) [39].

Compréhensible seulement dans sa genèse, son devenir et ses fonctions — comme toutes les institutions —, l'éducation est elle-même genèse du social (de génération en génération) et instance de régulation (toujours en crise, au moins latente, entre

---

38. DURKHEIM, *L'Evolution pédagogique en France*, p. 201.
39. Voir sur ce point M. CHERKAOUI, art. cité.

les « vieux cadres » et la « vie exubérante »). C'est pourquoi le fantasme d'une maîtrise savante de l'éducation, d'un discours sur l'éducation qui serait à la fois *objectif* et *autorisé*, représente, comme en raccourci, la plus haute expression de la prétention à l'omniscience.

J.-C. POMPOUGNAC

II

Le cercle de l'échange

II

Le cercle de l'échange

La langue passée aux profits et pertes

Dans *Ce que parler veut dire*, Pierre Bourdieu se propose de « tirer toutes les conséquences du fait — si puissamment refoulé par les linguistes et leurs imitateurs — que "la nature sociale de la langue est un de ses caractères internes", comme l'affirmait le *Cours de linguistique générale*, et que l'hétérogénéité sociale est inhérente à la langue » (p. 9).

Les conséquences annoncées consistent à proposer « un modèle simple de la production et de la circulation linguistique comme relation entre les habitus linguistiques et les marchés sur lesquels ils offrent leurs produits » (p. 14). L'habitus linguistique, c'est l'ensemble des « dispositions socialement façonnées qui impliquent une certaine propension à parler et à dire des choses déterminées (intérêt expressif) et une certaine capacité de parler définie inséparablement comme capacité linguistique d'engendrement infini de discours grammaticalement conformes et comme capacité sociale permettant d'utiliser adéquatement cette compétence dans une situation déterminée » (p. 14). Les structures du marché linguistique s'imposent comme un « système de sanctions et de censures spécifiques » *(ibid.)*.

Deux parties donc [1] : une partie critique, qui vise à révéler à tous et aux linguistes des choses cachées depuis la fondation de la linguistique par Saussure, une partie positive consacrée à exposer « ce que parler veut dire ». La liaison des deux tiendrait au fait que la linguistique a refoulé l'étude des discours au profit de « cet artefact qu'est la langue » (p. 42) et que ce refoulement a été motivé par des intérêts, sinon inavouables, du moins inavoués. « Tous les discours voués à faire autorité et à être cités en exemple du "bon usage" (confèrent) un pouvoir sur la langue et par là sur les simples utilisateurs de la langue et aussi sur leur capital » (p. 47).

On aurait pu mettre certaines approximations présentes dans le réquisitoire adressé à la linguistique au compte du genre polémique — vider l'arène de tous les concurrents pour y galoper à son aise —, à la condition d'apprendre quelque chose sur ce que parler veut dire. Or, passé le temps d'accoutumance à un vocabulaire entièrement pris à l'économie (lois du marché, fixation et variation des prix, produits linguistiques, rente de situation, profit, bénéfice symbolique, intérêts et capital), on s'aperçoit qu'on reste les mains quasiment vides.

En effet, Pierre Bourdieu, au titre d'« économie des échanges linguistiques », propose une thèse évidente, incontestable. Il rappelle après bien d'autres qu'un discours, pour exister, doit être non seulement grammaticalement conforme, mais encore socialement acceptable, et que donc « les lois définissant les conditions sociales de l'acceptabilité englobent les lois proprement linguistiques de la grammaticalité » (p. 75).

Nul ne conteste ainsi qu'il existe « tout un ensemble de différences significativement associées à des différences sociales [...] qui entrent dans un système d'oppositions qui est la retraduction d'un système de différences sociales » (p. 41), ou que « la sociologie du langage est logiquement indissociable d'une sociologie de l'éducation » (p. 53).

On veut essayer de comprendre comment ces propositions incontestables conduisent l'auteur à établir un modèle manichéen où ces « êtres sans raison d'être que sont les êtres humains » (p. 133) sont classés et étiquetés à perpétuité,

---

1. Nous ne prenons en compte ici que la partie du livre qui était inédite, soit la première, intitulée « L'économie des échanges linguistiques » ; les 2e et 3e parties sont la reprise d'articles publiés antérieurement, et comportent un certain nombre d'analyses de textes écrits (Heidegger, Balibar, Montesquieu). Les chiffres figurant après les citations renvoient aux pages du livre, paru chez Fayard, 1982.

puisque « les destins sociaux, positifs ou négatifs, consécration ou stigmate, sont également fatals » (p. 128).

L'ambition démystificatrice

Le propos vise à récuser les effets et les fondements du « racisme de classe » (p. 113), c'est-à-dire à récuser l'idée que l'effet de légitimité de certains discours (énoncés, paroles) tiendrait aux propriétés intrinsèques de ces discours (« variations prosodiques et articulatoires définissant la prononciation distinguée, complexité de la syntaxe, richesse du vocabulaire »). Non, l'autorité de la langue légitime tient à des facteurs extrinsèques, à savoir les conditions sociales de sa production et de sa reproduction.

On reconnaît ici une visée analogue à celle des *Héritiers*, critique de l'idéologie du don intrinsèque. A la recherche des « lois définissant les conditions sociales de l'acceptabilité » (p. 75), Bourdieu pose la hiérarchie sociale, les classes et leurs goûts, façonnés par l'inculcation familiale qui répercute l'imposition sociale. Ces choix, accomplis « en vertu des déterminismes sociaux, en dehors de toute conscience et de toute contrainte », portent sur « les signes extérieurs de la position sociale » que sont « les vêtements, l'hexis corporelle, ou le langage » (p. 130). On peut donc comprendre que, de même que le choix de tel habit à la fois répond au besoin fonctionnel de se garantir (du froid, du chaud, du mouillé) et exprime une information sociale sur la manière d'assurer cette fonction (par référence à l'univers des styles, ou modes disponibles), de même « la pratique linguistique communique inévitablement, outre l'information déclarée, une information sur la manière différentielle de communiquer, c'est-à-dire sur le style expressif, qui, perçu et apprécié par référence à l'univers des styles théoriquement ou pratiquement concurrents, reçoit une valeur sociale et une efficacité symbolique » (p. 60).

Ainsi P. Bourdieu relativise les usages linguistiques, (il n'y a pas une bonne façon de parler et des façons déviantes) et attribue la hiérarchie de fait de ces parlers à la hiérarchie des parleurs. La langue légitime est « la langue autorisée qui fait autorité » (p. 64), c'est-à-dire la langue des dominants. Elle se confond avec la langue officielle, celle qui, dans les limites territoriales d'une unité territoriale, s'impose à tous les ressortissants. La langue « populaire » est ce que les dominés s'autorisent à parler quand ils se sentent hors de la surveillance des dominants (p. 66).

Ce qui fait problème dans cette analyse, c'est la double fixité obtenue au bout du compte, celle de l'univers social et celle de l'ensemble des « styles », fixité nécessaire au bon fonctionnement du système de « retraduction » de l'un dans l'autre.

Deux locuteurs antagonistes

Les locuteurs sont membres de classes sociales radicalement disjointes, antagonistes. Par le fait d'occuper des positions différentes dans l'espace social, « ils sont dotés d'intérêts et d'intentions différents » (p. 18). Dans la même page, ils deviennent « des agents dotés d'intérêts [2] partiellement ou totalement différents » (p. 18) et finalement des « individus en tout opposés » (p. 19) qui ne pourront se reconnaître dans le même message que par l'effet de malentendus. Le texte de Pierre Bourdieu ne comporte pas la notion de « communauté linguistique ». Celle-ci n'apparaît qu'avec les guillemets qui l'attribuent à la théorie de W. Labov.

La plupart des exemples d'interaction proposés dans le texte sont des anecdotes inventées et non des situations réelles observées [3]. Or il est significatif que n'apparaissent sur ce petit théâtre sociologique que des locuteurs en situation de dialogue et d'inégalité. « Ce qui se passe entre deux personnes, entre une patronne et sa domestique, ou encore en situation coloniale, entre un francophone et un arabophone, ou encore, en situation postcoloniale, entre deux membres de la nation anciennement colonisée, l'un arabophone, l'autre francophone, doit sa forme particulière à la relation objective entre les langues ou les usages correspondants, c'est-à-dire entre les groupes qui

---

2. La métaphore économique présuppose que les « agents » ne sont définis que par leurs intérêts.
3. Les exemples fournis par l'observation de la scène linguistique dans la région du Béarn sont des cas intéressants de confrontation entre la langue légitime, le français, et l'autre, le béarnais (p. 61-63). Mais il ne semble pas possible d'assimiler les rapports qu'entretiennent deux langues différentes (français/béarnais, ou créole/français) sur un même territoire avec ceux (faits de distance et de proximité, d'identités et de différences) qui caractérisent les variétés de français parlées à l'heure actuelle en France.

parlent ces langues » (p. 61). Il y a là une réduction caricaturale de l'ensemble des interactions possibles, qui entraîne par le fait une étonnante restriction des situations d'énonciation : l'usage de la parole consiste à donner des ordres et à en recevoir. Parler ne veut pas dire bavarder, raconter des histoires, faire le récit d'événements ou de films, tenir des conversations entre amis, évoquer les absents ou les disparus, discuter pour obtenir une décision commune, réfléchir à haute voix, plaisanter, faire rire pour détourner l'attention des soucis pressants, etc.

C'est sans doute pour cette raison que peut apparaître le stéréotype sur le « passé simple qui fait vieil instituteur » (p. 55), et serait donc une forme en voie de disparition. Ce jugement hâtif suppose simplement de ne pas prendre en compte le récit ou plus généralement l'histoire, qui, écrite ou orale, impose en français l'emploi de ce temps, à la troisième personne. Benveniste a défini cette répartition des personnes et des temps des verbes qui correspond aux deux types d'énonciation qu'il appelle le discours et l'histoire. Pour l'histoire, le passé simple est le temps crucial. Or le récit le plus ordinaire, le conte, appartient à ce registre énonciatif, et il n'y a pas d'autre moyen d'écrire une histoire, que ce soit au XVIIᵉ siècle ou de nos jours, il n'y a pas d'autre manière de raconter quelque chose à un enfant pour l'endormir, si l'on commence par « Il était une fois... »[4].

Un bilinguisme manichéen

L'« ensemble des styles concurrents » est une notion non vraiment définie, mais qui finalement s'installe en une opposition substantielle, la langue des dominants, la langue des dominés — au milieu, la classe des petits-bourgeois court après la

---

4. Cf. « Il était une fois un bûcheron et une bûcheronne qui avaient sept enfants tous garçons. [...] Il vint une année très fâcheuse et la famine fut si grande que ces pauvres gens résolurent de se défaire de leurs enfants » (Ch. PERRAULT, *Le Petit Poucet*).
Cf. aussi : « Un soir, Max enfila son costume de loup. Il fit une bêtise, et puis une autre » (M. SENDAK, *Max et les maximonstres*, traduit de l'américain et édité chez Delpire, 1972).
Ou enfin, selon la guise de chacun : « Il était une fois une petite fille qui ne voulait jamais dormir. Alors un soir sa mère la prit par la main, la conduisit devant la fenêtre et lui dit... »

promotion, sociale et donc linguistique, linguistique et donc sociale, qui fuit comme un furet.

La langue des dominants correspond à la langue dite officielle, ou légitime, langue en partie artificielle, « produite par des auteurs ayant autorité pour écrire, fixée et codifiée par les grammairiens et les professeurs chargés aussi d'en inculquer la maîtrise » (p. 27), altérée dans son évolution naturelle par les efforts correctifs de tous ces corps, eux-mêmes chapeautés par les académiciens *(passim)*.

La langue des dominés, ensemble de produits linguistiques illégitimes, est ce qui est produit par les dominés dans l'espace de la vie privée, entre familiers, quand se suspend la loi officielle qui n'a momentanément plus cours (p. 66-67).

Les dominants se surveillent sans cesse, ils tiennent sans cesse le haut du pavé linguistique, fût-ce dans la vie quotidienne (« Cela se voit dans la manière de s'habiller ou de manger, mais aussi dans la manière de parler qui tend à exclure le laisser-aller, le relâchement et la licence que l'on s'accorde ailleurs lorsqu'on est entre soi » [p. 87]).

Les dominés, eux, sont contraints de faire le va-et-vient entre les formes légitimes qu'ils sont censés s'efforcer de produire dès que la situation l'exige et leur « franc parler » qui réapparaît dans les « échanges privés entre partenaires homogènes » (p. 66).

Ces considérations sur les mœurs de nos compatriotes ne sont étayées par aucune mention d'enquête ethnographique ou sociologique. « Cela se voit » et c'est tout [5].

Une fois ces dispositions prises, deux raisons apparaissent, opposées mais complémentaires, de nourrir du ressentiment envers ce qui est de l'ordre de la langue.

1. Quand tous les « agents » utilisent les mêmes formes, les paroles sont obscures : « Dans une société différenciée, les noms que l'on dit communs (travail, famille, mère, amour) reçoivent

---

5. Dans ce livre, P. Bourdieu ne fait état d'aucune enquête particulière qui aurait fourni matière à ses analyses. Il y a à cela peut-être deux raisons. D'une part, ces positions sur les échanges linguistiques constituent une extension de la thèse présentée dans *La Distinction*. D'autre part, certains résultats des enquêtes menées par W. Labov aux Etats-Unis sont apparemment tenus pour transposables tels quels à la France. Ainsi la notion de « petits-bourgeois » n'est pas redéfinie quand on passe d'un côté de l'Atlantique à l'autre ; ainsi des phénomènes de correction de la prononciation du (r) sont mentionnés sans qu'il soit signalé qu'il s'agit de la prononciation du (r) américain, et non d'un (r) roulé bourguignon, par exemple.

en réalité des significations différentes, voire antagonistes, du fait que les membres de la même "communauté linguistique" utilisent *tant bien que mal* la même langue et non plusieurs langues différentes » (p. 17).

2. Quand des formes linguistiques sont en variation, et donnent lieu par là à une évaluation sociale, la langue est coupable de se soumettre aux réseaux de la hiérarchie sociale, elle est « docile » (p. 237) à présenter des indices qui renforcent l'inégalité déjà là [6].

La langue sert donc deux fois à l'inégalité : au premier tour, la hiérarchie des classes est coextensive d'une différenciation des habitus linguistiques ; au deuxième tour, les formes linguistiques servent de repères pour que s'exerce la discrimination sociale. En effet, cette évaluation qui donne lieu à des profits symboliques monnayables en profits très réels (réussite scolaire, embauche, etc.) joue selon une direction : « Cette stylistique spontanée armée d'un sens pratique des équivalences entre les deux ordres de différences [...] saisit des classes sociales à travers des classes d'indices stylistiques » (p. 41).

Des questions se posent : sur l'orientation de ce repérage (on croit reconnaître quoi à travers quoi ?) et sur la constitution durable de ces « styles expressifs constitués dans et par l'usage ».

Quoi est l'indice de quoi ?

En effet, lorsque l'évaluation de la compétence des parleurs (légitime et illégitime) a lieu dans le monde tel qu'il est, il n'est pas du tout sûr que les formes linguistiques servent d'indices. Il est même très probable que le processus d'évaluation ne marche avec tant de fermeté que parce qu'il fonctionne à l'envers : nous croyons saisir des classes sociales à travers des classes d'indices stylistiques, alors qu'en réalité nous saisissons des indices stylistiques au travers des classes. La démonstration ne peut être apportée qu'*in vitro*, au cours d'expérimentations où l'on élimine les autres facteurs de repérage social, c'est-à-dire le

---

6. Quand la langue fait lien entre les êtres parlants (la même langue), elle n'assure plus un lien parfait entre les noms et les choses (les noms communs reçoivent des significations différentes) ; et, inversement, quand les formes diffèrent, elles ne font plus lien entre les locuteurs.

vêtement, l'hexis corporelle, etc. Dès qu'on soumet ainsi à évaluation des données enregistrées et par le fait rendues anonymes (ni parleur ni situation), les évaluations deviennent en grande partie aléatoires. Ainsi, deux ans seulement après la grève des Lip à Besançon, lorsque des étudiants écoutèrent un extrait d'une intervention de Charles Piaget (prononcée à la Maison pour tous, devant l'ensemble des grévistes), ils n'entendirent que le discours dont le contenu était la maîtrise, l'assurance, la décision ; ils ne perçurent pas des formes aussi manifestes que l'accent régional bisontin, ils n'éprouvèrent pas le besoin d'interpréter telle rupture de construction et ils attribuèrent, très majoritairement, ces énoncés à quelqu'un comme un ministre, ou un personnage haut placé, chargé d'importantes responsabilités.

Il existe un corollaire, c'est qu'il faut « la perception anormalement aiguë des linguistes » (p. 94) pour entendre ce que notre oreille socialisée est formée à filtrer. Ainsi au cours des interviews ou débats télévisés, les autorités les plus haut placées produisent des formes telles que des participes passés non accordés au féminin ou des groupes consonnantiques ébréchés de leurs consonnes finales (des choses analogues à la prononciation, courante et normale à l'oral, de *arb* pour *arbre*. Les marques linguistiques ne sont utilisées que quand elles confirment la connaissance sociale ; quand elles l'infirment, soit on ne les perçoit même pas (cf. les « fautes » de français de nos ministres), soit on les excuse (« qu'est-ce qu'il parle mal pour un prof »).

Ainsi les formes en variation, objectivement corrélées à des zones sociales tendancielles, sont utilisées pour confirmer ce qu'on sait déjà, autrement. Dans un cas on s'étonnera, si l'illégitime est très visible et si la couche sociale est en perte de prestige (par exemple les professeurs) ; dans l'autre cas, on sait d'avance qu'un ouvrier ou un paysan ne peut que parler comme il parle : mal, c'est naturel.

Des styles concurrents et étanches ?

Par ailleurs, l'interprétation sociale à toutes fins des formes linguistiques évaluables est d'autant plus facile que ces formes ne sont pas constituées en « styles différents » afférents aux classes. On remarque qu'un des résultats majeurs des recherches récentes de la sociolinguistique est ici passé sous silence.

En effet, les travaux de W. Labov ont permis de savoir que les formes en variation (qui ne forment pas le tout du « code linguistique », nous y reviendrons), celles-là mêmes qui sont reconnues comme porteuses d'un indice social, forment un stock (évolutif certes, mais unique) qui s'utilise dans toute la largeur des couches sociales et dans toute la longueur des situations d'interaction. Autrement dit, il n'existe pas de répartition exclusive telle que certaines formes n'appartiendraient qu'à certains parce qu'elles seraient exclusivement productibles par tels sous-ensembles de l'ensemble social.

C'est précisément pour cette raison que l'on parle de variation, qu'il s'agisse de prononciation concurrente de choix lexicaux ou de formes syntaxiques. On ne peut pas opposer ceux qui disent « je ne sais pas », ou « où vas-tu ? », à ceux qui disent « chais pas » et « oùsque tu vas ? » comme formant deux ensembles étanches. On ne peut que tenter de décrire les modalités d'un continuum, où les formes apparaissent selon des fréquences tendanciellement inverses, en fonction et des classes et des situations.

Ainsi, on peut penser que le morphème de négation *ne* est en voie de disparition en français parlé, et d'ailleurs les grammaires historiques nous renseignent sur l'ancienneté du phénomène. Or des chercheurs québécois, travaillant sur un large corpus de conversations informelles recueillies à Montréal, ont bien vérifié que l'usage du *ne* est extrêmement réduit par rapport au nombre de structures syntaxiques négatives, mais ils ont pu établir que le morphème n'est pas en voie de disparition : il se maintient en tant que ressource syntaxique et stylistique pour les locuteurs montréalais, et son occurrence ne dépend pas entièrement de contextes métalinguistiques ou de thèmes favorisant un style soigné (comme la religion ou l'éducation), puisque des phrases avec *ne* apparaissent lorsque des thèmes tout à fait ordinaires, tels les repas familiaux ou la mode, sont abordés [7].

Les différences des formes linguistiques ne s'organisent pas en sous-langues distinctes, distinguant des sous-ensembles d'une population de manière exclusive. On le voit également en observant les choses par l'autre bout, en examinant effectivement les énoncés de locuteurs extrêmement marginalisés, sous-prolétaires

---

7. D. VINCENT et G. SANKOFF, « L'emploi productif du *ne* dans le français parlé à Montréal », *Le Français moderne*, n° 45, p. 243-256.

dont on se contente ordinairement de reconnaître le « langage pauvre ». Une étude récente, portant sur les faits de subordination, que l'on suppose difficiles, a montré que les phénomènes les plus frappants sont, non pas l'absence des formes, mais leur instabilité. « Il n'y a aucune construction qui ne fasse problème à un moment ou à un autre ; il n'en est pas non plus qui ne soit bien employée au moins une fois [8] ».

Il semble donc que la forme légitime a justement cette propriété d'être virtuellement disponible pour tout le monde, l'inverse n'étant pas vrai. Qui peut le plus en matière de compétence légitime ne pouvant pas forcément et, par le fait, le moins [9].

L'oubli de la langue

Le sociologue ne voit que l'aspect sociologiquement pertinent, le variable en continu, de l'ordre du plus et du moins (acceptable, « correct », etc.), qui est corrélable aux positions sociales [10]. Il évacue de ses prises en compte le fait que la langue est un ensemble fondé sur la partition entre possible et impossible ; une langue, la langue suppose la notion de frontière, de hors-langue. Tout ne peut pas se dire. Même ces êtres fictifs (ceux qu'il caractérise comme dominés et contraints de s'exprimer autrement qu'il ne leur est naturel), il ne peut supposer que, lorsqu'ils peuvent se servir de leur « franc parler », ils parlent n'importe comment, que tout est possible.

Tout ne peut pas se dire, et cela transcende complètement les oppositions des classes, des situations, et toutes les déterminations sociales : les êtres parlants, tous, font aussi l'expérience de la partition discrète entre ce qui se dit et ce qui ne se dit pas. Cette expérience consiste à constater que la frontière existe, et

---

8. M. Auvigne et M. Monte, « Recherches sur la syntaxe en milieu sous-prolétaire », *Langage et société*, n° 19, mars 1982.

9. En témoigne Queneau : « Moi aussi, je suis un bourgeois. J'ai même eu une enfance très, très bourgeoise. Pendant longtemps je n'ai connu comme argot que le lycéen : prof, dico, etc. Le langage populaire, je l'ai découvert (très tôt il est vrai) chez Henri Monnier et Jehan Rictus (mais oui). Et puis aussi *Les Pieds-Nickelés* (ces illustrés, quels méfaits). Mais quand je suis allé en Algérie pour être militaire, et que le type à côté de moi m'a demandé : ''T'enlèves tes pompes ?'' je n'ai pas compris » (« Bâtons, chiffres, lettres », *On cause*, Gallimard, p. 54).

10. L'originalité de P. Bourdieu consistant, on l'a vu, à transformer ces variations continues en sous-ensembles discrets.

n'est le symbole de rien, ne se laisse pas « retraduire » en un autre ordre que cet ordre nu. On ne peut demander de raisons sur les points où se fait la partition : les enfants le savent bien, qui regimbent souvent avec violence devant le caractère obligatoire du passage (« Et si moi je veux dire autrement »). De cette imposition pure, on ne peut donc pas discuter, elle ne peut être matière à spéculation, elle ne peut qu'être à la fois respectée et faussement transgressée par le rire, celui qui naît des plaisanteries sur la langue.

C'est pourquoi les linguistes n'opèrent pas, comme on les en incrimine, un renversement complet des apparences : « Poser comme le fait Saussure que le medium véritable de la communication n'est pas la parole comme donnée immédiate considérée dans sa matérialité observable, mais la langue comme système de relations objectives qui rend possibles et la production du discours et son déchiffrement, c'est opérer un renversement complet des apparences en subordonnant à un pur constructum, dont il n'est pas d'expérience sensible, la matière même de la communication, ce qui se donne comme le plus visible et le plus réel [11]. »

On peut sans paradoxe montrer que la langue est réelle, et que l'on en a une expérience sensible. Il s'agit d'une part de revenir sur l'intuition linguistique et sur ce qu'elle rencontre ; d'autre part de repérer dans certains types d'énoncés (plaisanteries, erreurs et jeux) la conscience, manifeste chez tout locuteur, qu'il y a de la langue.

Sous la variation, une langue commune

Les travaux de sociolinguistique qui tentent de rendre compte de la variation linguistique et du changement n'ont pu que corroborer les thèses de la linguistique sur le point suivant : l'immense majorité des phénomènes linguistiques n'est pas soumise à variation. La plus grande partie des formes (phonétiques, lexicales, syntaxiques) est régie par des règles parfaitement catégoriques, non conscientes pour les locuteurs, non évaluables socialement. En tant que parleurs de notre langue maternelle, nous n'avons donc normalement pas accès de façon explicite,

---

11. *Le Sens pratique*, Minuit, p. 51. Bourdieu renvoie à ce passage dans *Ce que parler veut dire*, p. 13.

réflexive, à ce type de régularités. Nous les observons sans avoir jamais eu à les apprendre selon une didactique expresse. Pour formuler ce phénomène structurel, W. Labov propose précisément de distinguer des types de règles de nature différente qu'il dénomme règles catégoriques, semi-catégoriques et règles à variables[12]. « La plupart des règles linguistiques (= des régularités formulées) correspondent à des comportements automatiques, profonds, elles ne sont pas perçues par la conscience et elles ne sont jamais violées. [...] Les linguistes découvrent et formulent des règles de ce type depuis des siècles, elles constituent l'ossature de la structure linguistique [...] Si les professeurs de langue maternelle avaient pour tâche d'enseigner aux enfants les règles de ce type, ils auraient à accomplir une tâche incroyablement plus difficile que celle dont ils sont effectivement chargés, laquelle consiste à enseigner aux enfants un petit nombre de règles du second type, ainsi qu'une terminologie de base qui permette de parler de la langue. »

Par définition, donc, les locuteurs sont à la fois conscients de la gamme des variations qui les distinguent, ou les séparent, et inconscients de la régularité qui, par exemple, oblige en français à faire une liaison entre les pronoms personnels sujets et leurs verbes, et à n'en pas faire entre les groupes nominaux sujets et leurs verbes[13].

Il est ainsi des régularités de tous ordres qui ne posent jamais question, et qui sont parfaitement réelles.

Ce que Labov formule par le moyen de cette notion de règle catégorique, ce n'est rien d'autre que ce que J. C. Milner appelle l'inégalisation des données. Le concept de langue rassemble sous soi cette évidence que tout ne peut pas se dire. « De même qu'un Œdipe libre d'épouser sa mère, une langue où tout pourrait se dire est une contradiction dans les termes[14]. »

---

12. « L'étude de l'anglais non standard », *Langue française*, n° 22, 1974.

13. On peut contraster les énoncés suivants, où les tirets horizontaux figurent la liaison et les barres obliques la non-liaison :
(a) Pierre et Paul, ils = avaient faim et soif.
(b) Les enfants // avaient faim et soif.
(c) Nous // avons faim et soif.
(d) Les enfants = avaient faim et soif.
On voit que le blanc entre *nous* et *avons* en (c) fait ressembler cette phrase à un tas de mots, justement sans liaison entre eux d'un point de vue syntaxico-sémantique.
En revanche, la liaison abusive de la phrase (d) peut être interprétée comme maniérée, sans passer hors de la langue pour autant.

14. *De la syntaxe à l'interprétation*, Seuil, p. 10.

« De quoi rient les locuteurs [15] »

Ce qui s'opère de la structure ne peut pas toujours être interprété comme une « traduction » de différences sociales, et n'est pas pour autant une abstraction dont la reconnaissance serait réservée aux éternels lettrés. Bourdieu considère comme typiquement savante « l'aptitude qui consiste à s'arracher à la situation et à briser la pratique qui unit un mot à un contexte pratique, l'enfermant ainsi dans un de ses sens, pour considérer le mot en lui-même et pour lui-même » (p. 17, n 3), et considère plus généralement qu'un rapport « gratuit et détaché » au langage suppose « certaines conditions d'existence », dont seraient dépourvues les couches populaires. Mais les recherches menées par Judith Milner tendent à prouver que tout un chacun a l'expérience de la langue « en elle-même et pour elle-même », pour reprendre l'expression de Saussure. Il s'agit d'un certain type de plaisanteries, produites par n'importe qui mais considérées comme appartenant à la « culture populaire » ; elles provoquent le rire en jouant sur l'existence même de la frontière entre ce qui est de la langue et ce qui n'en est pas. Ressortissent à ce type, le célèbre « C'est assez, dit la baleine », tout comme les innombrables jeux que l'on trouve certes chez Queneau (on se rappelle « l'hormosessuel » de *Zazie* et le « Il chantait à *L'Européen* dans le rôle de Chaliaqueue » de *Pierrot mon ami*), mais bien avant et depuis toujours dans l'almanach Vermot (« Comment va votre propriétaire ? — Elle est tombée comme une loque à terre »), dans les conversations aux zincs des bistrots, ou entre « jeunes », ainsi le récent « Ça va ? — Boh... oui. »

Dans ces énoncés, un jeu sur le signifiant, une « réanalyse fallacieuse », combine en simultané le vrai et le faux, la connaissance et l'ignorance. L'analyse *indue* de *cétacé* en *c'est assez*, ou de *locataire* en *loque à terre*, présuppose le *dû*, à savoir que *cétacé* ni *locataire* ne sont décomposables, pas plus que ne le sont les noms propres de Chaliapine ou de Bowie [16]. Ces

---

15. Tel est le titre de l'article de J. MILNER, « Langage et langue, ou : de quoi rient les locuteurs », *Change*, n° 29 et 32-33, 1976.

Voir aussi *Les Monstres de langue*, DRLAV, n° 27, 1982.

16. C'est aussi la matière et la forme de jeux spontanés entre enfants, qui se déclenchent sans consigne explicite, et durent d'autant plus longtemps qu'ils s'accompagnent d'un rire qui est la mesure du plaisir. Ainsi, lors d'un long trajet en voiture un « nez-vrosé », un « nez-tron », un « nez-corché », un « nez-buleux » un « nez-denté », etc., où le plaisir venait des effets de sens et de non-sens liés à

analyses linguistiques fallacieuses provoquent le rire, à proportion que leurs erreurs supposent la maîtrise, et constituent ce que J. Milner appelle un « rappel de savoir » — qu'il y a des langues, et donc de la langue. « Or la langue est cela même et cela seulement : l'ensemble des prescriptions (*il faut dire ainsi*) et d'interdictions (*on ne dit pas autrement*) — et nulle symbolisation n'est possible de cela [17]. »

La tentation de l'utopie

Tous les phénomènes linguistiques ne sont pas déductibles de déterminations sociales, ils comportent quelque chose d'irréductible ; de même, on ne peut définir purement et simplement la poésie, ou plus généralement la littérature, comme des « manifestations d'écart », des « distances par rapport aux manières de parler simples et communes ». C'est à nous maintenant de poser la question au sociologue : qu'est-ce qu'une manière de parler « simple et commune » ? Qu'est-ce que la « communication pure et simple » ? Et peut-on conclure de ces formulations que sans les linguistes (et les grammairiens, et les écrivains, et les professeurs, et les instituteurs) la langue serait libre, les locuteurs égaux et la communication fraternelle ?

Le sociologue recule devant la tentation de l'utopie : « Rien n'autorise donc à voir la ''vraie'' langue populaire dans l'usage de la langue qui a cours dans cet îlot de liberté où l'on se donne licence parce qu'on est entre soi et qu'on n'a pas à se surveiller » (p. 67). Mais non devant les tâches de dénonciation : « La dépossession objective des classes dominées peut n'être jamais voulue comme telle par aucun des acteurs engagés dans les luttes littéraires [...]. Il reste qu'elle n'est pas sans rapport avec l'existence d'un corps de professionnels objectivement investis du monopole de l'usage légitime de la langue légitime qui produisent pour leur propre usage une langue spéciale, prédisposée à remplir par surcroît une fonction sociale de distinction dans les rapports entre les classes et dans les luttes qui les opposent sur le terrain de la langue. Elle n'est pas sans rapport non plus avec

l'homophonie d'une première syllabe avec le mot *nez* (cf. névrosé, nébuleux) ou à la fausse découpe rendue possible par la liaison (cf. un-étron, un-édenté, un-écorché, etc.).

17. *Les Monstres de langue*, p. 33.

l'existence d'une institution comme le système d'enseignement »
(p. 49).

Il est très cohérent que, dans l'univers du profit, on dénonce
les profiteurs. Les éléments des groupements humains ne partagent rien, sauf l'affrontement, et les retombées inégales des
bénéfices. Ils font classe (contre classe) et ne font pas espèce.
Ils parlent et ils n'ont pas de langue. La langue n'est qu'un
leurre. L'heure est à la spéculation.

L'anticipation de quels profits ?

L'enjeu que s'était fixé l'auteur de « renouveler la manière
de penser le langage » se réduit à faire de la langue un « instrument linguistique », et de cet instrument un phénomène culturel comme les autres, justiciable à ce titre de l'unique explication qu'est le jeu de la distinction (cf. p. 42).

Faire basculer tout le linguistique dans le sociologique, dans
un rôle de discrimination et de marquage social, impliquait donc
de passer sous silence l'existence de la langue, en tant qu'elle
fait lien, même imparfait, et ce précisément parce que le
« système des oppositions linguistiques pertinentes linguistique-
ment » n'est pas un produit élaboré par les grammairiens ou
les linguistes. Ainsi s'explique, pour finir, le violent réquisitoire
adressé à la linguistique et aux linguistes, la métaphore du
« coup de force [18] » qui dispense de faire état des raisons qui
ont présidé à la constitution de la linguistique comme science.
En la matière, P. Bourdieu joue au profane, feint d'ignorer les
conditions de toute explication, qui impliquent un bornage, pour
échapper à la régression à l'infini des effets et des causes.

Ainsi tout lecteur sera amené à se demander pour quoi ce discours est tenu, dans l'anticipation de quels profits il est publié.
On pouvait croire d'abord, comme en témoignent certains
aspects de l'argumentation [19], qu'il s'agissait de rivalités

---

18. « Tout le destin de la linguistique moderne se décide en effet dans le coup
de force inaugural par lequel Saussure sépare la linguistique externe de la linguistique interne, et, réservant à cette dernière le titre de linguistique, en exclut les
recherches qui mettent la langue en rapport avec l'ethnologie, l'histoire politique
de ceux qui la parlent, ou encore la géographie du domaine où elle est parlée, parce
qu'elles n'apporteraient rien à la connaissance de la langue prise en elle-même »
(p. 8).

19. Cf. le procédé qui consiste à négliger sciemment les intentions des adver-

disciplinaires, de « querelles de boutique », ou plus sérieusement de concurrence pour l'obtention de certains marchés. Nul doute en effet que la croissance de la branche « Pragmatique » n'inquiète, comme en témoigne la seconde partie du livre.

Mais, à rester dans la perspective que nous explorons, on est amené à distinguer que c'est peut-être l'existence même de la langue, en tant que telle, qui est enjeu. A l'issue de la lecture de *La Distinction*, on devait déduire que, si tous les aspects du goût sont déterminés par l'opposition des intérêts de classe, l'art n'est donc qu'une mystification entretenue à tous les degrés de l'échelle sociale, au seul profit des gens « distingués ». Ici, de même on veut nous faire croire que la langue n'est qu'un artefact, une mystification découlant de la lutte des classes. La langue est rendue inepte, puisqu'elle n'est plus qu'un décalque docile de la structure sociale (« Toute la structure sociale est présente dans chaque interaction » [p.61], « une forme est une sorte d'expression symbolique de tous les traits sociologiquement pertinents de la situation de marché » [p.81]). Cela rappelle assez une tactique patronale éprouvée, celle qui consiste à vouer un atelier à des tâches inutiles pour en justifier la fermeture et éliminer ainsi les gêneurs qu'on y avait préalablement rassemblés. La langue gêne. On ferme.

On réduit la langue à l'état de code, « à la fois législatif et communicatif » (p. 26), avec un jeu contestable sur le double sens du mot, et on lui reproche ensuite de n'être que cette réduction : un système permettant de coder des informations. C'est à cette pure fonction de re-présentation que se réduit ce que Bourdieu nomme indûment « symbolique ». Du coup, l'usage de la langue, les paroles sont toujours vaines, peu ou prou ; soit elles sont « vraies », et alors elles sont redondantes de ce vrai qui se donne déjà à voir ailleurs (vêtements, postures, gestes, habitat, métier, goûts...), soit elles sont mensongères. La parole n'est plus que l'expression vocale d'un sens déjà là, déjà constitué et exprimé par les autres « instruments culturels ».

La langue est rendue inutile parce que tout se voit ; tout se voit parce que tout se déduit à partir de déterminations premières. La langue est rendue inutile parce qu'il n'y a ni secret ni

---

saires : « L'œuvre de Saussure [...] puis [celle] de Chomsky [...] m'ont paru poser à la sociologie des questions fondamentales. Il reste que l'on ne peut donner toute leur force à ces questions qu'à condition de sortir des *limites* qui sont inscrites dans l'intention même de la linguistique structurale comme théorie pure » (p. 8).

signification. Cette entreprise sociologique ne peut donc qu'ignorer la langue autonome et fondatrice. « Au fondement de tout il y a le pouvoir signifiant de la langue, qui passe bien avant celui de dire quelque chose. [...] Et voici que se ranime dans notre mémoire la parole limpide et mystérieuse du vieil Héraclite, qui conférait au Seigneur de l'oracle de Delphes l'attribut que nous mettons au cœur le plus profond du langage : *Oute légei, oute kruptei*, « Il ne dit, ni ne cache », *alla sémaínei* « mais il signifie [20]. »

Françoise KERLEROUX

20. E. BENVENISTE, « La forme et le sens dans le langage », p. 229, *Problèmes de linguistique générale*, t. II, Gallimard, 1974.

Métaphore économique et magie sociale chez Pierre Bourdieu

« Ce que défend l'honneur [...] est plus défendu quand les lois ne le défendent pas, ce qu'il prescrit, encore plus exigé quand les lois ne l'exigent pas[1]. » Dans la société kabyle à laquelle Pierre Bourdieu applique cette citation de Montesquieu, l'ethos de l'honneur n'a pas de code écrit. Telle serait la clé universelle de l'intérêt du désintéressé, de la servitude volontaire, ou de l'efficacité quasi magique de la signature d'une œuvre d'art. Sous le voile des relations de prestige, d'honneur ou de mode, toute société se dissimulerait à elle-même le sens de ses pratiques, qu'il s'agisse de ces cultures qui « se refusent à regarder en face la réalité économique[2] » ou de celles qui seraient aveuglées par elle. Révéler les lois que la loi ne dit pas, l'oubli du calcul que le calcul lui-même opère, serait alors dévoiler le jeu social, échapper au piège méthodologique qui consiste à prendre pour argent comptant ce que la société dit d'elle-même.

En ce sens, les *Essais d'ethnologie kabyle* ne disent rien d'autre que ce que Bourdieu continuera d'affirmer à propos des

---

1. Pierre BOURDIEU, *Esquisse d'une théorie de la pratique, précédé de trois études d'ethnologie kabyle*, Librairie Droz, 1972, p. 43.
2. *Ibid.*

sociétés occidentales : universelle dans son fondement, l'économie générale des pratiques vise à faire advenir dans la théorie
sociologique un processus systématique de révélation de ces
« pensées d'arrière-boutique » dont parlait Montaigne [3], et qui
tirent de leur méconnaissance sociale le pouvoir immense d'organiser secrètement tout échange, qu'il soit économique, culturel ou symbolique.

Métaphore et sens commun

Le corps à corps de la théorie générale des pratiques et du
discours économique hantera toute la sociologie de Pierre Bourdieu. L'économisme ne serait pas là où on le croit, dans un excès
d'économique, mais dans la timidité. Comme si l'erreur fondatrice de l'économie politique avait été de s'arrêter à mi-
chemin, de ne pas oser outrepasser ses propres frontières, de
s'en être tenue à cette « définition restreinte de l'intérêt
économique [4] » qui l'amène à rejeter dans « l'*impensable* et
dans l'*innommable*, c'est-à-dire dans l'irrationalité économique [5] », profits et pertes symboliques. Autocensure et aveuglement iraient ainsi de pair : en nommant désintéressement l'intérêt qu'ils ne voient pas, les économistes ne sauraient imaginer d'autres représentations que « naïvement idylliques des
sociétés "précapitalistes" (ou de la sphère "culturelle" des sociétés capitalistes) [6] ».

Il ne s'agit dès lors plus de rejeter l'économisme de la théorie économique, mais de le dépasser en poussant à bout ce
qu'elle ne fait qu'à moitié : « C'est dire que la théorie des pratiques proprement économiques n'est qu'un cas particulier d'une
théorie générale des pratiques. On ne peut échapper en effet aux
naïvetés ethnocentriques de l'économisme sans tomber dans
l'exaltation populiste de la naïveté généreuse des origines qu'à
condition d'accomplir jusqu'au bout ce qu'il ne fait qu'à moitié
et d'étendre à *tous* les biens, matériels ou symboliques, sans distinction, qui se présentent comme *rares* et dignes d'être recher-
chés dans une formation sociale déterminée [...] le calcul

---

3. Michel de Montaigne, cité par P. BOURDIEU, « Le mort saisit le vif », *Actes
de la recherche en sciences sociales*, n° 32-33, avril-juin 1980, p. 14.
4. P. BOURDIEU, *Esquisse*, p. 234.
5. *Ibid.*, p. 234-235.
6. *Ibid.*, p. 235.

économique [7]. » Sur cette base, le sens de l'honneur et les stratégies matrimoniales kabyles, les fonctions et le fonctionnement de l'école moderne, la production du goût ou les classements sociaux les plus subtils sont désignés comme autant d'objets d'une économie générale des pratiques, plus vaste et englobante que l'économie politique, la sociologie et l'ethnologie réunies.

Cette « économie générale » sera une économie totale. Empruntant au discours économique ses catégories, ses formalismes, ses articulations logiques, Pierre Bourdieu les constitue en grille de lecture universelle des pratiques sociales et de leurs représentations communes : le langage économique pourrait ainsi être détourné de ses objets traditionnels, produire du sens ailleurs que dans le champ restreint de la production et de la circulation de biens marchands. L'accolement d'une signification inattendue, décalée ou élargie, aux catégories banales des économistes aurait alors pour effet présumé de faire surgir un sens nouveau, de révéler l'invisible. Pour cela, Bourdieu propose de partir de la loi non écrite, de ces « croyances inébranlables qu'on appelle de sens commun [8] » dont parlait déjà Augustin Cournot. Le sens pratique serait ce qui fait que les pratiques « sont sensées, c'est-à-dire habitées par un sens commun. C'est parce que les agents ne savent jamais complètement ce qu'ils font que ce qu'ils font a plus de sens qu'ils ne le savent [9] ». Toute l'architecture tient ainsi sur le couple économie générale des pratiques-sens commun : si le sens commun est un sens « économique » que l'économie expulse hors d'elle, cette plus-value de sens ne peut être restituée que par l'économie elle-même.

Euphémisé, travesti, transfiguré [10], le sens commun suppose une reconstruction théorique dont le « lexique » économique fournit les armes. Ainsi de l'objet privilégié de Pierre Bourdieu, le langage : qu'est-ce qu'un marché pour le sens commun ? Un lieu où l'on rencontre le triptyque : acheteur, vendeur, prix. Donc « il y a marché linguistique toutes les fois que quelqu'un produit un discours à l'intention de récepteurs capables de

7. *Ibid.*
8. A. COURNOT, *Essai sur les fondements de la connaissance et sur les caractères de la critique philosophique*, Hachette, 1922, cité par P. BOURDIEU, *Le Sens pratique*, Editions de Minuit, 1980, p. 93.
9. P. BOURDIEU, *Le Sens pratique*, p. 110.
10. *Ibid.*, p. 217.

l'évaluer, de l'apprécier et de lui donner un prix [11] ». Il n'y aurait là que mots communs, puisque ce marché ne fait l'objet d'aucun transfert de propriété et que la procédure sociale de validation de ce qui est échangé est déplacée vers une législation extérieure au lieu d'être interne. Mais la métaphore déborde le vocabulaire lorsque la situation et le calcul de l'entrepreneur deviennent à leur tour objet d'analogie : « Toute situation linguistique fonctionne donc comme un marché sur lequel le locuteur place ses produits, et le produit qu'il produit pour ce marché dépend de l'anticipation des prix que vont recevoir ses produits [12]. » D'analogie en analogie, ce ne sont plus seulement les mots mais leur agencement conceptuel qui est déplacé hors de son champ initial : ici, le lien classique marché-produit-producteur-comportement d'entrepreneur rationnel, transposé sans autre forme de procès à la théorie linguistique. Et ce jusqu'à ce que l'espace social par excellence de l'économie politique, celui où se crée le lien social, n'ait plus de raison d'être. Poussée à bout, la métaphore aura rempli sa fonction, fondé les concepts de prix, de capital et de profit, pour ne plus être autrement justifiée que dans l'intériorisation de son existence par les agents : « La famille et l'école fonctionnent, inséparablement, comme des lieux où se constituent, par l'usage même, les compétences jugées nécessaires à un moment du temps, et comme des lieux où se forme le *prix* de ces compétences, c'est-à-dire comme des marchés qui, par leurs sanctions positives ou négatives, contrôlent la performance, renforçant ce qui est "acceptable", décourageant ce qui ne l'est pas, vouant au dépérissement les dispositions dépourvues de valeur [13]. »

En ce point, l'exercice qui consiste à emprunter au discours économique un énoncé banal et à lui conférer un sens en associant à chaque « marché », « capital » ou « profit » les qualificatifs « linguistique », « symbolique » ou « de distinction » tient moins de la métaphore que de la parodie telle que la définissait Louis Marin, cette « stratégie de description et d'analyse opérée par le déplacement d'une terminologie et de notions hors du domaine où elles ont été produites, dissociées des actes

---

11. P. Bourdieu, *Ce que parler veut dire. L'économie des échanges linguistiques*, Fayard, 1982, p. 7.
12. P. Bourdieu, *Questions de sociologie*, Editions de Minuit, 1980, p. 98.
13. P. Bourdieu, *La Distinction. Critique sociale du jugement*, Editions de Minuit, 1979, p. 93.

épistémologiques et méthodologiques qui leur ont donné naissance, par la mise en jeu sur une scène autre [14] ».

Reste à retourner à Bourdieu lui-même la question de ce déplacement parodique du discours économique. Deux passages esquissent une réponse. En écho à la critique adressée à l'économisme de l'économie politique, le premier relève de la critique interne de l'hypothèse de concurrence pure et parfaite : « On est là aussi loin que possible, malgré certaines apparences, du modèle saussurien de l'*homo linguisticus* qui, pareil au sujet économique de la tradition walrassienne, est formellement libre de ses productions verbales [...] mais ne peut être compris, échanger, communiquer qu'à condition de se conformer aux règles du code commun. Ce marché, qui ne connaît que la concurrence pure et parfaite entre des agents aussi interchangeables que les produits qu'ils échangent et les "situations" dans lesquelles ils échangent, et tous identiquement soumis au principe de la maximisation du rendement informatif (comme ailleurs au principe de la maximisation des utilités), est aussi éloigné [...] du marché linguistique réel que le marché "pur" l'est du marché économique réel, avec ses monopoles et ses oligopoles [15]. »

Plus essentielle est la seconde réponse : « Ce qui peut tromper, c'est que, comme les économistes néo-marginalistes, je mets au principe de toutes les conduites sociales une forme spécifique d'intérêt, d'investissement. Mais seuls les *mots* sont communs [16]. » Et, au-delà de ce langage commun, l'écart parodique des deux projets se jouerait dans l'opposition entre « rendre compte » et « rendre raison ».

Compte et raison

C'est en ce point que l'économie générale des pratiques se démarquerait de l'économie politique. Pour Bourdieu, le dépassement de l'économisme trouverait là son point d'ancrage : l'économiste ne serait que le comptable des autres, chargé de

---

14. Louis MARIN, « La célébration des œuvres d'art. Notes de travail sur un catalogue d'exposition », *Actes de la recherche en sciences sociales*, n° 5-6, nov. 1975, p. 50.

15. P. BOURDIEU, *Ce que parler veut dire*, p. 44.

16. P. BOURDIEU, *Questions de sociologie*, p. 33.

dresser le bilan, de faire l'inventaire ; celui qui rend compte, mesure, définit un étalon, établit des relations d'équivalence.

A ce projet, le sociologue substitue celui de rendre raison. Les mots communs ne serviraient plus à compter mais à raisonner, à dévoiler l'*ultima ratio* des comportements individuels et, au-delà, à rendre leur raison aux acteurs égarés par les pièges du sens commun, à reconnaître leur rationalité, à la leur donner à voir.

Le langage du calcul qu'emploie Bourdieu (investissement, prix, rendement...) ne relèverait alors pas d'une comptabilité, mais serait le moyen de pister les cheminements individuels. Le sujet qui, pour l'économie politique, s'efface derrière les nombres qu'il produit revient au premier plan si tant est qu'on lui rende sa raison. Et, dans ce renversement, Pierre Bourdieu voudrait projeter toute la subversion dont serait porteur le matérialisme économique lorsqu'il dévoile les intérêts qui soustendent les comportements. La matérialité des nombres objectivise, enfouit, masque. La révélation de la matérialité de la raison [17], de l'intéressement du désintéressé ou de la gloriole du modeste serait, elle, porteuse d'une critique radicale. Rendre raison, c'est avant tout ne jamais croire sur parole ou, si l'on préfère, ne croire qu'au langage.

C'est dans le passage de l'intérêt à l'investissement que se noue la distanciation qu'opère Bourdieu vis-à-vis de l'économie politique. Les économistes ne pourraient que se donner le modèle de l'*homo œconomicus*, et ignoreraient donc « la question des conditions économiques de la production des dispositions postulées par l'économie [18] ». « Et pourtant, ajoutera Bourdieu, les conduites les plus folles du point de vue de la raison économique capitaliste ont pour principe une forme d'intérêt bien compris (par exemple l'intérêt qu'il y a à "être au-dessus de tout soupçon") et peuvent donc être l'objet d'une science économique [19]. » Traquer l'intérêt là où l'économie ne voit que folie, ce n'est qu'« affirmer le *principe de raison suffisante* qui est impliqué dans le projet même de rendre raison

---

17. Cf. *Questions de sociologie*, p. 34 : « Ce principe [de raison suffisante] veut en effet qu'il y ait une cause ou une raison permettant d'expliquer ou de comprendre pourquoi telle pratique ou telle institution *est* plutôt que de ne pas être et pourquoi elle est ainsi plutôt que de toute autre façon. »
18. P. BOURDIEU, *La Distinction*, p. 111.
19. P. BOURDIEU, *Questions de sociologie*, p. 34.

qui est constitutif de la science même [20] » : montrer la raison de la déraison.

La sociologie se constituerait entièrement comme science dans ce principe de raison suffisante. Enfermé dans le cadre de l'utilitarisme économique, l'usage du mot d'intérêt risque de mener au « degré zéro de la sociologie [21] ». Mais, « cela dit, la sociologie ne peut se passer de l'axiome de l'intérêt, entendu comme *l'investissement spécifique* dans les enjeux, qui est à la fois la condition et le produit de l'appartenance à un champ [22] ». Avoir un intérêt, c'est à la fois investir et s'investir : investir en termes de ressources, de richesses, mais aussi et avant tout en termes de temps [23]. Où Pierre Bourdieu retrouve l'un des fondements de cette autre « économie générale des pratiques » que propose l'Ecole de Chicago : l'investissement en temps et en argent qui constitue le « capital humain » des individus.

Bourdieu joue alors explicitement de la polysémie de l'investissement économique et de l'investissement psychanalytique : « En recourant, pour les besoins de l'objectivation, à des termes empruntés au lexique de l'économie, on ne veut en rien suggérer que, comme l'implique, sans doute à tort, l'usage ordinaire de ces concepts, les conduites correspondantes soient orientées par le calcul rationnel de la maximisation des profits [...]. C'est dire que le terme d'investissement par exemple doit être entendu au double sens d'investissement économique — ce qu'il est toujours objectivement, tout en étant méconnu comme tel — et au sens d'investissement affectif que lui donne la psychanalyse ou, mieux, au sens d'*illusio*, croyance, *involvement*, engagement dans le jeu qui est le produit du jeu et qui produit le jeu [24]. »

Mais, si « l'investissement affectif » peut expliquer le rapport du sujet à sa propre conduite, il ne permet aucunement de produire les critères de sa propre réussite. Un « bon » investissement, en effet, se doit d'être objectivé, et ne peut l'être qu'au travers des notions de « rendement » et de « profit ». La

---

20. *Ibid.*
21. *Ibid.*, p. 119.
22. *Ibid.*
23. Cf. *Esquisse*, p. 237 : « Investissement en richesses matérielles, mais aussi en temps, dans la mesure où la valeur du travail symbolique ne peut être définie indépendamment du temps qu'on lui consacre, le *don de temps* ou le *gaspillage de temps* constituant un des dons les plus précieux. Il est clair que, dans ces conditions, l'accumulation de capital symbolique ne peut se faire qu'au détriment de l'accumulation de capital économique. »
24. P. BOURDIEU, *La Distinction*, p. 94.

76

raison étant explicitée, le recours au compte n'en demeure pas moins nécessaire, même si celui-ci s'exprime dans une position sur un classement et non dans la détention d'actions monétaires. Le profit, sanction de l'investissement, renvoie au marché comme condition de son apparition : « La constitution d'un marché linguistique crée les conditions d'une concurrence objective dans et par laquelle la compétence linguistique peut fonctionner comme capital linguistique produisant, à l'occasion de chaque échange social, un *profit de distinction*[25]. »

Ainsi, qu'il soit mû par un intérêt entendu comme ce *self-interest* d'Adam Smith, intérêt ahistorique, naturel, universel, « qui n'est en fait que l'universalisation inconsciente de l'intérêt qu'engendre ou suppose l'économie capitaliste[26] », ou par cet intérêt dont parle Bourdieu et qui « n'a rien à voir[27] » avec le précédent, l'investissement ne trouve sa dimension sociale que sur un marché. Désigné comme le lieu où va apparaître la sanction des investissements, le marché quitte en ce point le registre de la métaphore. Et, malgré le jeu constant d'emprunts et de dénégations, Bourdieu ne peut éviter d'être confronté aux deux problèmes centraux de l'économie politique : celui de la mesure et celui de la norme. Si l'investissement n'est qu'un jeu[28], la question reste entière de déterminer qui sont à ce jeu les gagnants et les perdants.

Mesure et norme : la métaphore inachevée

Une étrange boucle logique tiendra lieu de mesure objective d'un tel classement des gagnants et des perdants. Affronté à l'impuissance du discours économique à définir une mesure des échanges non monétaires, Bourdieu court-circuite les mécanismes d'objectivation qui justifiaient son appel aux catégories économiques. Sujet supposé savoir, l'économiste sera tour à tour invoqué et rejeté. Invoqué pour sa connaissance des lois et

---

25. P. BOURDIEU, *Ce que parler veut dire*, p. 43.
26. P. BOURDIEU, *Questions de sociologie*, p. 33.
27. *Ibid.*
28. Cf. *Questions de sociologie*, p. 34-35 : « L'investissement, c'est l'inclination à agir qui s'engendre dans la relation entre un espace de jeu proposant certains enjeux (ce que j'apelle un champ) et un système de dispositions ajusté à ce jeu (ce que j'apelle un habitus), sens du jeu et des enjeux qui implique à la fois l'inclination et l'aptitude à jouer le jeu, à prendre *intérêt* au jeu, à se prendre au jeu. »

procédures de formation des prix par la confrontation des coéchangistes. Ainsi, « les discours ne reçoivent leur valeur (et leur sens) que dans la relation à un *marché* caractérisé par une loi de formation des prix particulière : la valeur du discours dépend du rapport de forces qui s'établit concrètement entre les compétences linguistiques des locuteurs [29]. » Mais de tels formalismes ne s'appliquent qu'à l'échange marchand, susceptible d'une mesure objective, étalonnée, monétaire. La question sera donc déplacée en son point inaugural : laissant en suspens la mesure des objets échangés, Pierre Bourdieu ne s'intéressera qu'à celle de la valeur des sujets qui échangent : « Toute situation linguistique fonctionne comme un marché dans lequel quelque chose s'échange. Ces choses sont bien sûr des mots, mais ces mots ne sont pas seulement faits pour être compris ; le rapport de communication n'est pas un simple rapport de communication, c'est aussi un rapport économique où se joue la valeur de celui qui parle : a-t-il bien ou mal parlé ? Est-il brillant ou non ? Peut-on l'épouser ou non [30] ? »

Chaque individu se voit conférer une mesure de réussite ou d'échec, une position dans un classement, autant d'indices de bon ou de mauvais rendement des capitaux mis en œuvre. La mesure de l'échange est à la fois nécessaire et implicite, postulée à partir des effets présumés de la confrontation sur le marché. Elle réapparaîtra ailleurs, lorsque la question se posera de comparer les rendements des différents capitaux sur les marchés qui leur correspondent, ou, plus encore, de convertir ces capitaux d'une espèce en une autre [31]. Car la perte ou le gain liés à cette conversion supposent eux aussi une « objectivation », une institutionnalisation qui, nous dit Bourdieu, serait seule en mesure d'assurer la reconnaissance sociale de ces capitaux.

Et, hors du capital économique, la seule forme objectivée de capital serait le titre scolaire, universellement reconnu, capable d'assurer la « liberté du travailleur » sur le marché du travail,

---

29. P. BOURDIEU, *Ce que parler veut dire*, p. 60.
30. P. BOURDIEU, *Questions de sociologie*, p. 98-99.
31. Rappelons-le : Pierre Bourdieu distingue tour à tour les différents capitaux selon les marchés sur lesquels ils sont placés (capital culturel, social, linguistique, politique...) ; selon leur « état » (capital incorporé, objectivé, institutionnalisé) ; ou encore selon leur degré d'euphémisation, leur reconnaissance ou leur méconnaissance.

identifiée à une monnaie [32]. Ce qui ne permet pas pour autant de mesurer ce qui se joue dans les opérations de conversion entre capital culturel, capital économique, capital social et capital scolaire. Seuls les mots sont communs...

Pourtant, la question de l'unification du marché autour d'une norme sociale n'est pas une difficulté gratuite que « l'économie générale des pratiques » pourrait se dispenser d'affronter. Pour l'économie politique, le taux de profit moyen est la norme sociale qui fonctionne comme point de référence pour tous les capitaux en quête d'autovalorisation. Et le fait que l'économie politique puisse, à tort ou à raison, prétendre faire la théorie du lien social constitutif des sociétés modernes repose à la fois sur l'unicité de cette norme et sur le rejet des empiricités qu'elle ne peut ni mesurer ni confronter à elle.

Bourdieu reproche à l'économie de ne pas voir ce qu'il constitue en objet de son « économie générale ». Ce n'est pourtant pas par aveuglement que l'économie politique rejette la « sphère culturelle », mais bien pour préserver l'unité logique de son objet. Lui empruntant ses concepts et ses raisonnements, tout en refusant le couple mesure-norme, l'économie générale des pratiques tombe dans le piège, qu'elle imputait à l'économisme, de la métaphore inachevée.

Norme et légitimité

Mais ce que Pierre Bourdieu refuse du discours économique n'est pas autre chose que ce qui précisément le constitue en sociologie. Car l'existence d'une norme générale au cœur de la théorie économique n'est pas seulement cette réponse à l'exigence d'unification des marchés. Elle est d'abord le signe de la question qui fait de l'économie politique une science de la société : peut-on penser dans un même mouvement l'organisation des rapports sociaux autour d'une norme et la production par la société de cette norme elle-même ? Question [33] qui ne

---

32. « Le *titre* "universalise" le travailleur parce que, analogue en cela à la *monnaie*, il en fait un travailleur libre au sens de Marx » (Pierre BOURDIEU et Luc BOLTANSKI, « Le titre et le poste : rapports entre le système de production et le système de reproduction », *Actes de la recherche en sciences sociales*, n° 2, mars 1975, p. 98).

33. A laquelle, on le sait, Ricardo répondait déjà par la négative en se donnant un taux de profit de référence, tandis que Marx avançait une solution positive en déterminant le taux de profit au sein des relations d'échange.

pouvait être posée que dans le cadre d'un marché unifié, qui contiendrait en lui ses propres déterminations. Là est la véritable utopie de la théorie économique : de ne pas parvenir à clore son discours sur lui-même tout en n'y laissant aucune place à un extérieur.

C'est sans doute ici que la métaphore économique de Pierre Bourdieu bascule véritablement dans la parodie. Ne pouvant passer de la diversité des marchés à leur unicité, il ne peut rapporter une norme sociale qu'au caractère commun de ces marchés hétérogènes : le langage. On parle sur tous les marchés. Mais sans pour autant que tous les marchés soient des marchés de paroles.

La question de la norme sociale se réduit à celle de l'acceptabilité du véhicule des échanges : il est une langue légitime, et d'autres qui ne le sont pas. Cette légitimité tire son efficace de l'intériorisation qu'en ont les agents : elle est « inscrite à l'état pratique dans les dispositions qui sont insensiblement inculquées, au travers d'un long et lent processus d'acquisition, par les sanctions du marché linguistique et qui se trouvent donc ajustées, en dehors de tout calcul cynique et de toute contrainte consciemment ressentie, aux chances de profit matériel et symbolique [34] ».

Cet appel à l'automaticité des ajustements est d'une autre nature que celui que l'on trouve dans la théorie walrassienne du marché. L'ajustement de la théorie économique des échanges se fait là où s'opère la médiation sociale entre la loi et l'individu : sur le marché. L'ajustement de la théorie des échanges linguistiques est vainement en quête d'un tel lieu de médiation : entre la loi et l'esprit des agents, il n'y a rien. « Histoire incorporée faite nature [35] », l'habitus est la désignation de ce manque, l'apprentissage par tous d'une loi que nul ne dit.

La tentation est alors forte de transgresser l'interdit théorique qui fonde ce discours pour dresser dans l'Etat la figure du pouvoir. Si l'Etat est ce qui unifie le marché linguistique autour d'une norme, cette norme permet à la fois de repérer l'illégitimité et de la mesurer à l'aune de la langue officielle : celle-ci, en effet « a partie liée avec l'Etat. Et cela tant dans sa genèse que dans ses usages sociaux. C'est dans le processus de constitution de l'Etat que se créent les conditions de la constitution

34. P. BOURDIEU, Ce que parler veut dire, p. 30.
35. P. BOURDIEU, Le Sens pratique, p. 94.

d'un marché linguistique unifié et dominé par la langue officielle : obligatoire dans les occasions officielles et dans les espaces officiels (Ecole, administrations publiques, institutions politiques, etc.), cette langue d'Etat devient la norme théorique à
laquelle toutes les pratiques linguistiques sont objectivement
mesurées. Nul n'est censé ignorer la loi linguistique [36] ».

L'Etat n'est pas pour autant la réalisation du pouvoir. Il en
est le relais nécessaire dans l'espace de la langue, dont l'homogénéité va permettre l'articulation des stratégies individuelles.
En définissant la langue officielle, l'Etat fixe les règles du jeu.
Mais il ne dit pas les enjeux.

Le rite et le rang

L'acte typique du pouvoir qui fascine Pierre Bourdieu est le
concours : la création d'une coupure définitive et insurmonta-
ble au sein d'un continuum de différences infinitésimales. De
même que l'on est noble ou pas, on est ou non polytechnicien :
le diplôme, pas plus que le sang bleu, ne se trouve sur le marché. Et la légitimation de celui qui a réussi est d'autant plus
forte qu'il n'a pas à prouver sa compétence [37]. La propriété
des capitaux culturels est donc déconnectée de l'échange, et cette
dissociation sépare une fois encore Pierre Bourdieu de l'économie politique : si l'échange linguistique ne supposait pas de
transfert de propriété, en retour, l'objet de propriété se transmet sans s'échanger, par héritage. C'est dans le « monde natal »
que se transmettent les « goûts primordiaux », « rapport
archétypal à la forme archétypale du bien culturel [38] ». Le
« titre de noblesse culturelle » s'hérite, sa valeur se mesure au
nombre de « quartiers de noblesse culturelle », comme le titre
aristocratique s'hérite à la mort du père et que les quartiers de
noblesse s'ajoutent de génération en génération [39]. Mais,
comme dans la chevalerie, le sang bleu n'est rien sans la

---

36. P. BOURDIEU, *Ce que parler veut dire*, p. 27.
37. Ce thème était déjà développé par Pierre BOURDIEU et Jean-Claude PASSE-
RON dans *La Reproduction*, Editions de Minuit, 1970, p. 175 et s.
38. P. BOURDIEU, *La Distinction*, p. 85.
39. Et, de même que la noblesse est condamnée à une lutte incessante contre la
diffusion de la particule chez les faussaires, la noblesse culturelle ne survit qu'en
luttant contre la dévalorisation des capitaux qu'entraîne la diffusion massive des
œuvres d'art ou « l'inflation des diplômes ».

sanction cérémonielle, qui ne fait que redire ce qui était déjà dit, et pourtant le crée comme dire institué : ici l'adoubement, là le concours.

Si, pour Bourdieu, le pouvoir se manifeste d'abord dans l'institution, celle-ci doit être entendue au « sens actif [40] ». L'acte d'instituer, le rite qui intronise le chevalier ou le reçu du concours comme tels, ne peut être produit de l'intérieur. L'irruption du discontinu, la création *ex nihilo* ou la naturalisation de la différence est un acte de « magie sociale [41] ». Qu'il s'agisse de la différence entre ce qui est « intéressant » et ce qui ne l'est pas, entre l'enfant et l'adulte, entre le noble et le roturier, entre celui qui a réussi le concours et celui qui a échoué, cette magie qui s'incarne dans le rite est productive. Productrice de coupures sociales, la « magie performative [42] » crée du sens : le sens des limites, le sens des convenances, le sens de la distinction. Dans un monde dominé par la métaphore du marché, où le capital, en se transformant, se dévalorise, surgit brusquement un « plus », une plus-value de sens et d'effets.

L'enjeu de la métaphore économique va alors se déplacer imperceptiblement. Par un curieux effet de miroir, Pierre Bourdieu renverse le sens commun, inverse l'ordre des choses : dans la société kabyle, « la frontière magique, on le voit, est partout, à la fois dans les choses et dans les corps, c'est-à-dire dans l'ordre des choses, dans la routine et la banalité du quotidien [43] ». Et pourtant seul le paradigme de l'intérêt peut permettre de voir la réalité en dévoilant les calculs qui guident « les conduites les plus folles ». La société occidentale, elle, propose aux yeux de tous un calcul économique qui ne s'exposerait que pour mieux se dissimuler. Mais, en poussant cette économicité à son terme, l'économie générale des pratiques ne peut que rester aveugle à leur sens ; elle peut dire comment on investit et s'investit, comme on prend de l'intérêt et on est pris par l'intérêt. Et ce qui est intérêt, ce en quoi on s'investit, cela, seule la magie

---

40. « Plutôt que rites de passages, je dirais volontiers rites de consécration ou rites de légitimation, ou, tout simplement, *rites d'institution* (en donnant à ce mot le sens actif qu'il a, par exemple, dans l'expression ''institution d'un héritier'') » (P. BOURDIEU, « Les rites comme actes d'institution », *Actes de la recherche en sciences sociales*, n° 43, 1982, p. 58).

41. « L'institution est un acte de magie sociale qui peut créer la différence *ex nihilo* ou bien, et c'est le cas le plus fréquent, exploiter en quelque sorte les différences préexistantes » (*ibid.*, p.59).

42. *Ibid.*, p. 61.

43. P. BOURDIEU, *Le Sens pratique*, p. 302.

peut le dire. Et du lieu où la magie opère, on ne peut rien dire de la magie. Ce qui produit le sens n'a pas de sens. La magie peut dire « n'importe quoi [44] ». Et l'efficace magique du rite est renvoyé dans l'indicible, dans la « métaphysique » : « Je voudrais, pour finir, poser une dernière question, dont je crains qu'elle ne paraisse un peu métaphysique : est-ce que les rites d'institution, quels qu'ils soient, pourraient exercer le pouvoir qui leur appartient — je pense au cas le plus évident, celui des "hochets", comme disait Napoléon, que sont les décorations et autres distinctions — s'ils n'étaient capables de donner au moins l'apparence d'un sens, d'une raison d'être, à ces êtres sans raison d'être que sont les êtres humains, de leur donner le sentiment d'avoir une fonction ou, tout simplement, une importance, de l'importance, et de les arracher ainsi à l'insignifiance [45] ? » C'est la magie qui donne aux hommes leur raison d'être. C'est elle qui produit le sens commun, ce « consensus sur le sens des pratiques et du monde [46] ».

Il y a peut-être là le véritable sens de l'usage répété que fait Bourdieu du concept d'habitus. Comme une œillère du désir, qui ne nous donne à voir que ce que nous pouvons avoir, l'habitus nous fait exclure « les pratiques les plus improbables [...] avant tout examen, au titre d'*impensable*, par cette sorte de soumission immédiate à l'ordre qui incline à faire de nécessité vertu, c'est-à-dire à refuser et à vouloir l'inévitable [47] ». La magie sociale clôt le discours du sociologue : elle produit à la fois les règles du jeu et l'enfermement des joueurs dans le jeu.

Le mystère du ministère

« Le mystère de la magie performative se résout ainsi dans le mystère du ministère [...] c'est-à-dire dans l'alchimie de la *représentation* (aux différents sens du terme) par laquelle le représentant fait le groupe qui le fait : le porte-parole doté du

---

44. « L'ethnologie et l'histoire comparée montrent que la magie proprement sociale de l'institution peut constituer à peu près n'importe quoi comme intérêt, et comme intérêt réaliste, c'est-à-dire comme *investissement* (au sens de l'économie, mais aussi de la psychanalyse), objectivement payé de retour, à plus ou moins long terme, par une économie » (P. BOURDIEU, *Questions de sociologie*, p. 34).
45. P. BOURDIEU, « Les rites comme actes d'institution », art. cité, p. 61.
46. Voir *Le Sens pratique*, p. 97.
47. *Ibid.*, p. 90.

plein pouvoir de parler et d'agir au nom du groupe, et d'abord sur le groupe par la magie du mot d'ordre, est le substitut du groupe qui existe seulement par cette *procuration*. Groupe fait homme, il personnifie une personne fictive [...]. En contrepartie, il reçoit le droit de parler et d'agir au nom du groupe, de "se prendre pour" le groupe qu'il incarne, de s'identifier à la fonction à laquelle il "se donne corps et âme", donnant ainsi un corps biologique à un corps constitué. *Status est magistratus*, "l'Etat, c'est moi" [48]. »

La question du pouvoir de la magie devra rester sans réponse. L'ultime question posée au sociologue est hors du champ de l'économie générale des pratiques, puisque c'est celle d'un agent singulier, medium entre un groupe et lui-même [49] : le porte parole, qui consacre les différences en édictant les règles et, par là même, produit [50].

L'économie générale était une économie de l'échange : échange de signes, échanges de symboles, dont la menace de dévalorisation les désignait en permanence comme enjeux du jeu social. Au-delà de l'arbitraire de la magie sociale, la production du sens de ces signes ne trouve à s'incarner que dans le *rex* antique. Mais le *rex* n'est pas un appareil que l'on peut aisément retourner. Et le pouvoir décrit par Bourdieu opère par un simple effet de structure : à la dissimulation de son origine (la magie) répond en écho celle de son fonctionnement (le jeu social). Dès lors que le jeu se joue, les dominés reproduisent la domination : en acceptant la règle, ils acceptent que la production du sens leur échappe [51].

Ce jeu de cache-cache avec le pouvoir, là où se produit du sens et se reproduit l'échange des signes, ne s'achèvera pas. A

---

48. P. BOURDIEU, *Ce que parler veut dire*, p. 101.

49. *Ibid.*, p. 73.

50. Reprenant Emile Benveniste, Pierre Bourdieu attribue une double fonction au *rex* antique : *regere fines*, l'acte qui consiste à séparer « l'intérieur de l'extérieur, le royaume du sacré et le royaume du profane, le territoire national et le territoire étranger » ; et *regere sacra*, « fixer les règles qui produisent à l'existence ce qu'elles édictent, parler avec autorité, pré-dire au sens d'appeler à l'être, par un dire exécutoire, ce que l'on dit, faire advenir l'avenir que l'on énonce » (*ibid.*, p. 137).

51. Cf. *Le Sens pratique*, p. 220 : « Paradoxalement, c'est l'existence de champs relativement autonomes, fonctionnant selon des mécanismes rigoureux et capables d'imposer aux agents leur nécessité, qui fait que les détenteurs des moyens de maîtriser ces mécanismes et de s'approprier les profits matériels ou symboliques produits par leur fonctionnement peuvent *faire l'économie* des stratégies orientées expressément et directement vers la domination des personnes. »

moins qu'il ne s'évanouisse dans ce qui n'est probablement qu'une boutade de la *Leçon sur la leçon* : « Lorsqu'il s'arroge le droit, qu'on lui reconnaît parfois, de dire les limites entre les classes, les régions, les nations, de décider avec l'autorité de la science s'il existe ou non des classes sociales [...], le sociologue assume ou usurpe les fonctions du *rex* archaïque [...] de dire les frontières, les limites, c'est-à-dire le sacré [52]. »

Annie L. COT,
Bruno LAUTIER.

---

52. P. BOURDIEU, *Leçon sur la leçon*, Editions de Minuit, 1982, p. 12-13.

III

Le destin des dominés

Eppur si muove ! Classes populaires et structure de classes dans *La Distinction*

> « *Et cet abîme — dû aux procédés plus rationnels d'éducation et au surcroît de tentations, de facilités et de raffinement des riches —, en s'accroissant, dut rendre de moins en moins fréquent cet échange de classe à classe, cette élévation par intermariage qui retarde à présent la division de notre espèce par des barrières de stratification sociale. De sorte qu'à la fin on eut au-dessus du sol les Possédants, recherchant le plaisir, le confort et la beauté, et au-dessous du sol les Non-Possédants, les ouvriers s'adaptant d'une façon continue aux conditions de leur travail.* »
>
> H. G. WELLS, *La Machine à explorer le temps* (trad. Henry D. Davray, Mercure de France, 1959).

Les images de la science

Il y a quelque chose qui tient du réalisme mythologique dans *La Distinction*, et fait que le lecteur, bercé par les flots calmes et imposants des phrases, se laisse caboter le long de rives à la fois proches et étranges desquelles il lui semble apercevoir d'étonnantes figures, qui ne seraient peut-être que la reproduction d'autres images, entrevues on ne sait où, mais restées gravées là, tout au fond de sa mémoire.

Images, figures du « populaire » associées aux thèmes :
— d'une formidable force : « Philosophie pratique du corps

masculin comme une sorte de puissance, grande, forte, aux besoins énormes, impérieux et brutaux » (p. 211) [1].

— d'une gigantesque appétence de chair et de sang : « La viande, nourriture par excellence forte, donnant de la force, de la vigueur, du sang, de la santé, est le plat des hommes » (p. 214) ;

— d'un immense abandon : « Ce que le rire retenu est au rire à gorge déployée, que l'on pousse avec tout le corps, en plissant le nez, en ouvrant grande la bouche, en prenant son souffle très profond [...] comme pour amplifier au maximum une expérience qui ne souffre pas d'être contenue et d'abord parce qu'elle doit être partagée » (p. 211) ;

— d'une incomparable innocence — dans cette citation si bien choisie : « Oh dites donc, elle a les mains drôlement déformées. [...] Y a un truc que je ne m'explique pas : on dirait que le pouce va se détacher de la main » (p. 46).

Sortes de physionomies persistantes qui traverseraient ainsi les espaces et les âges...

Et puis, brusquement, au « hasard » d'une phrase ou d'une page, on se dit que dans l'agrégation de ces traits, dans leur métaphorisation, se compose un tableau trop parfait, et que, décidément, le « récit de la science » ressemble trop à ce que pourraient nous laisser imaginer nos propres fantasmagories.

Il faudrait donc reprendre un à un ces traits du « populaire » qui constituent au fil de la lecture l'élément essentiel du décor que nous propose *La Distinction*. Non pour en montrer l'inexistence ou l'incohérence, mais pour en marquer l'envers, ou l'ailleurs dans sa marginalité statistique autant que dans ses incertitudes conceptuelles. Travail qui tenterait de montrer d'autres figures, de dessiner d'autres profils pour l'instant étouffés, effacés sous la chape des informations et leur gonflement stylistique.

Nous nous bornerons pour le présent à désengrener les mécanismes logiques qui sont au cœur du livre et qui articulent l'ensemble de ses déductions tout en esquissant, là où déjà ils s'effritent, cette autre dimension du populaire sur laquelle il ne nous est rien dit.

---

1. Les paginations entre parenthèses qui suivent chaque citation renvoient à *La Distinction*, Editions de Minuit, 1979. Les références au *Sens pratique*, (Minuit, 1980), seront signalées par l'abréviation : *S P*.

Un manque ramené à ses marques

Dans *La Distinction*, l'identité des classes populaires occupe une place centrale, au sens où elle est ce qui engendre, en tant que modèle du « goût barbare » kantien ou comme « esthétique » antikantienne, la dialectique des esthétiques et des goûts. Elle est donc ce qui organise et soutient l'ensemble des raisonnements du livre au-delà même de la structure du texte [2]. C'est d'ailleurs pour cela qu'elle doit être non seulement d'une solidité et d'une homogénéité redoutable, mais encore d'une très haute visibilité. Cette double condition tire elle-même son efficacité d'un drame originel qui doit irrémédiablement frapper les « classes populaires » : l'expérience de la privation, d'un manque intégral.

« La proposition fondamentale qui définit l'habitus comme nécessité faite vertu ne se donne jamais à éprouver avec autant d'évidence que dans le cas des classes populaires, puisque la nécessité recouvre bien pour elles tout ce que l'on entend d'ordinaire par ce mot, c'est-à-dire la privation inéluctable des biens nécessaires » (p. 433).

Ce *défaut*, qui déjà apparaît au niveau de la consommation, pénètre de plus la dimension du devenir individuel, puisque ces classes « n'ont, comme on dit, pas d'avenir et en tout cas peu de choses à attendre de l'avenir » (p. 203), et puisque la « carrière ouvrière » ne peut être définie que comme « l'envers de la carrière négative qui conduit au sous-prolétariat » (p. 459, n. 24).

Sans avenir, et sans le nécessaire, les classes populaires sont définitivement et résolument situées dans un abîme dont l'effort de comblement est voué à la répétition, à l'éternel recommencement : vies toujours détruites, absorbées, consumées et sans cesse à refaire ; mais aussi à un mouvement sans changement : vies itératives, toujours identiques à elles-mêmes.

Notons dès à présent que Pierre Bourdieu ne nous *démontre* en rien cette privation, il préfère nous la peindre dans son envers. Car, si à la nécessité on peut toujours dialectiser une liberté, c'est à l'aide de la *description* que le sociologue va saturer les classes populaires des marques de leur « défaut » et les refermer radicalement sur le nécessaire.

---

2. Seule exception à cette règle, « L'espace social et ses transformations », chapitre décalé par rapport à l'ensemble et d'un caractère tout particulier.

Ainsi fait-il pour l'essentiel *état* des « non-styles » vestimentaires (p. 224 et s.), des maigres valeurs accordées aux soins du corps (p. 226 et s.), mais surtout des pratiques alimentaires, de leurs « repas placés sous le signe de l'abondance » (p. 216), de leurs « nourritures nourrissantes et économiques » (p. 198). Autant de caractéristiques qui font qu'un monde débonde de ce dont il est privé et qui, si elles ne prouvent l'assignation au nécessaire, sont du moins censées en rendre sensible *le goût*.

Elles suffisent cependant pour que le sociologue accumule les définitions des classes populaires, situées dans « l'immanentisme temporel » (p. 203) bien sûr, dans la « revanche » et le « laisser-aller » (p. 218), et plus généralement dans la substance opposée aux formes (p. 221), dans l'être opposé au paraître (p. 223).

Le problème n'est pas celui de l'authenticité de ce que « par contraste » il nous est dit, il réside plutôt dans l'obligation que Bourdieu s'est créée de réduire caricaturalement l'identité des classes populaires. Car, en assignant celle-ci à la matière et au matériel, il la forclôt du même coup du symbolique : « [...]. deux visions du monde antagonistes, deux mondes, deux représentations de l'excellence humaine sont enfermées dans cette matrice : la substance — ou la matière — c'est ce qui est substantiel, au sens premier de nourrissant mais aussi de réel en opposition à toutes les apparences, tous les (beaux) gestes, bref, tout ce qui est, comme on dit, purement symbolique » (p. 222).

Par retournement, *retrancher* ici, c'est déjà donner *là-bas*, puisqu'en excluant des pans entiers du corps social de l'accès au symbolique Bourdieu les élimine des enjeux et des luttes de ce dernier dont la *classe dominante* serait en revanche le lieu « d'élection » et d'expression (p. 284).

Si désormais toute création (symbolique) s'évapore au contact de la production — matérielle — et si la symbolisation est l'impossible de celui qui reste enchaîné à l'ordre productif et « reproductif », c'est donc de toute culture que sont évincées les classes populaires : « Ceux qui croient en l'existence d'une culture populaire, véritable alliance de mots à travers laquelle on impose, qu'on le veuille ou non, la définition dominante de la culture, doivent s'attendre à ne trouver, s'ils vont y voir, que les fragments épars d'une culture savante plus ou moins ancienne [...] sélectionnée et réinterprétée évidemment en fonction des principes fondamentaux de l'habitus de classe » (p. 459).

Il ne suffit pas au sociologue de délester ces classes de la culture que certains historiens leur ont supposée. Il faut encore qu'il leur ôte tout ce qui pourrait leur revenir comme configurations symboliques, ou comme effort de symbolisation. Ces *fragments culturels* ne sont plus chez lui que la pure et simple retombée des créations et des productions symboliques des classes dominantes dans l'irréversible *torpeur* populaire.

Un moteur immobile

Aussi, puisque par leur « non-style » de vie elles sont « vouées à servir de repoussoir » (p. 200) et puisque, par ailleurs, elles sont, jusque dans leur « remâchage » au « goût de leur habitus » des bribes de la culture dominante, l'inertie d'un corps mort, les classes populaires occupent dans le livre la place d'un premier moteur immobile dont le mécanisme engrène les conflits et les luttes des autres classes : petites bourgeoisies traditionnelles ou « new look », bourgeoisies dominantes ou dominées.

Le monde social se met ainsi à bouger : les classes populaires et leur « vilain goût » deviennent la cause de la « dialectique de la prétention et de la distinction qui est au principe incessant du goût » (p. 200). Bourdieu peut donc se faire fort de montrer à ses contradicteurs que sa sociologie n'est en rien une sociologie du calcul rationnel de la maximisation du profit : la mécanique des placements et des déplacements, des classements et des déclassements relève de cet « automatisme » dont Bourdieu emprunte à Leibniz l'idée. Le *sens* du classement relève d'une dynamique inconsciente de répulsion inscrite au plus profond de l'habitus de classe.

Cependant, pour que cette « loi de la gravitation des classes » atteigne sa perfection, il faut qu'en plus d'être privées de toutes les superfluidités symboliques les classes populaires soient subjectivement insécables.

Or, c'est ce que le sociologue va nous expliquer, en leur interdisant les deux grands registres dans lesquels se meut toute effervescence sociale : le « capital économique » et le « capital symbolique ». Il s'appuiera sur le concept qui lui est le plus fondamental : *l'habitus*. « Structure structurée prédisposée à fonctionner comme structure structurante », l'habitus redouble les conditions objectives assignées aux classes populaires d'un principe de conformation à ces mêmes conditions. Principe qui,

93

dans *Le Sens pratique*, fait dire à Pierre Bourdieu que les agents sont inclinés « à refuser le refusé et à vouloir l'inévitable » (p. 90) et dans *La Distinction* lui fait emprunter la maxime socratique : « faire sa propre affaire ».

« Les dominés tendent d'abord à s'attribuer ce que la distribution leur attribue [...] se définissant comme l'ordre établi les définit, reproduisant dans le verdict qu'ils portent sur eux-mêmes le verdict que porte sur eux l'économie, se vouant en un mot à ce que leur revient en tout cas, *ta heautou*, comme disait Platon, acceptant d'être ce qu'ils ont à être » (p. 549).

Dès lors, au niveau du « capital économique », les choses sont d'emblée données ; c'est déjà être objectivement et subjectivement hors du populaire que d'échapper à la nécessité ; et la rétention primitive qui est à la base de toute accumulation ne peut être que la forme même par laquelle le populaire — ici habillé en prolétaire — se fait autre : « Le petit-bourgeois est un prolétaire qui se fait petit pour devenir bourgeois » (p. 390).

De même, et plus fortement encore, au niveau culturel, puisque les classes populaires n'ont d'autre horizon et d'autre exigence que d'être en adéquation avec leur condition, l'habitus voue à l'exclusion par le « ce n'est pas des gens comme nous » tout ce qui marque la différence symbolique, c'est-à-dire transgresse le « ce n'est pas pour nous » et ne se soumet pas aux rappels à l'ordre du « pour qui elle se prend ».

Les classes populaires, ainsi devenues principe unique et unitaire, engendrent jusqu'aux autres classes, et ce mouvement ne fait que renforcer leur unité et leur immobilité. La mécanique des corps sociaux vient de recevoir en cette dernière touche son rouage le plus subtil. Nous pouvons parcourir le système en tous sens, en interroger chaque dispositif, il est désormais clos sur lui-même et semble avoir la plus imperturbable cohérence.

Les transmutations d'une classe

On relève pourtant, au cœur même de *La Distinction*, certaines discordances.

Ainsi est-on surpris de voir les exploitants agricoles associés, par le truchement du goût, au prolétariat marxien, voire cohabiter avec les salariés agricoles sous le « cachet » que la manufacture assigne à l'ouvrier (p. 200).

On est tout aussi étonné par le gonflement de certaines tournures stylistiques propres à entraîner le lecteur, comme la redondante expression « prolificité prolétaire » (p. 390), laquelle commente des taux de fécondité par catégories socio-professionnelles dont le plus élevé concerne plus particulièrement salariés et exploitants agricoles et ne dépasse pas trois enfants par femme en âge de procréer.

Ces quelques violences faites aux concepts, tout comme ces vivifications excessives des dénombrements arides de la statistique, pointent l'ambiguïté que peut constituer toute tentative de récolement de traits distinctifs diffusés dans de larges fractions des classes sociales et plus particulièrement les classes populaires. Le problème n'est pas tant dans le rappel de ces traits trop connus que dans leur agrégation puis leur systématisation théorique en une même loi qui en interdirait d'autres, moins distinctes, moins visibles.

En effet, pour que la thèse de Pierre Bourdieu fonctionne, il faut que le travail de « positivation », de mises en relief du manque populaire soit totalement réalisé et qu'ainsi celui-ci remplisse tout le champ circonscrit par ces classes. En bref, il faut qu'aucune « scorie » d'excès (symbolique) ne vienne nuire à la perfection du « défaut ». Aussi, lorsque la sommation de ce qui est l'emblème du manque ne suffit plus, faut-il, au prix de tordre le cou en coulisse aux concepts, aller chercher dans d'autres classes, dans d'autres figures sociales, les éléments qui confirment la théorie.

Mais, au-delà de ces indices d'une volonté tenace de ramener tout ce « petit monde » aux traits multiples à l'unité, c'est l'idée même de nécessaire et d'« enfermement » dans le réel qu'il nous faut interroger. Elle a, comme on l'a vu, pour principe l'impossibilité d'accumuler ; mais ce principe lui-même ne tient que si l'on se borne aux représentations les plus grossières et se lézarde dans les observations plus détaillées. Ainsi, sans même oser parler de « l'ouvrier de l'abondance », ne peut-on opposer à la famille populaire et à ses difficultés à « joindre les deux bouts » la figure plus erratique du célibataire, tant stigmatisée au siècle dernier par l'ordre bourgeois, accumulant pour « détruire » et ne dépensant plus seulement pour produire et pour reproduire mais pour jouir du temps, des symboles et des symbolismes ?

Ne peut-on de même évoquer ces jeunes ouvriers quasiment absents des pages que Bourdieu consacre à l'identité populaire ou ces jeunes Maghrébins dont l'attachement au paraître, dans l'habillement et le comportement, ne peut se réduire à la seule imposition publicitaire, ni à cette « réhabilitation » que Bourdieu restreint au démenti apporté par les dominés à l'image que se font d'eux les dominants ? Ou ces bandes, que nous décrit Jean Monod, dont les conflits et les rapports ritualisés avec le monde des adultes marquent certes le mépris qu'elles peuvent avoir pour leur classe d'origine, mais portent en cela la différence au sein de l'identité populaire [3] ?

Quelle que soit la « marginalité statistique » de ces phénomènes, plus souvent relevés par les ethnologues que par les sociologues, ils indiquent que le glissement de l'être au paraître, de la fonction aux symbolismes, n'est pas dans le passage des classes populaires aux autres classes sociales mais qu'il a bien aussi son développement à l'intérieur des premières.

Fugueurs et passeurs

Cela n'est qu'une condition nécessaire mais non suffisante de la théorie des classes de Pierre Bourdieu, puisque toute forme de différence a son aboutissement dans un processus automatique d'expulsion et d'auto-exclusion et puisque « la seule norme explicite du goût populaire » est son « principe de conformité » (p. 443). Il faut donc convoquer ces personnages à la fois empathiques et marginaux que sont les êtres des frontières et des confins de classe, et plus particulièrement les autodidactes.

« Assis entre deux chaises », « deux mondes », nous dit Richard Hoggart, non contents de porter la scission dans « leur » classe, les autodidactes portent la scission en eux-mêmes : « aussi gauches intellectuellement que manuellement [4] », ils correspondent mal aux seules identités que Pierre Bourdieu leur prête, puisque sur leur versant « traditionnel » il les réduit à la « réhabilitation » et par là même à la « reconnaissance de leur propre exclusion » par les dominants (p. 92), tandis que sur leur versant « nouvelles manières » il nous les présente s'affairant au classement.

« Ainsi, ce que l'on appelle aujourd'hui la ''contre-culture'' pourrait être le produit de l'effort d'autodidactes nouvelle manière pour s'affranchir des lois du marché scolaire [...] en

---

3. Jean MONOD, *Les Barjots*, Julliard, 1968.
4. Richard HOGGART, *La Culture du pauvre*, Minuit, 1970, p. 358.

produisant un autre marché doté de ses instances propres de légitimation » (p. 106).

Vouloir à tout prix réduire les traces du symbolique, à l'intérieur et aux limites du lieu populaire, à la valorisation d'un capital ou à la reconnaissance de sa propre difformité de classe, n'est-ce pas faire la part trop belle au classement en ramenant tout ce qui dérive, erre, à l'ordre et à la soumission à l'ordre ?

« Sous leurs cheminements bizarres et leurs surprenantes techniques d'acquisition de la culture, on trouve toujours le désir d'accéder à la liberté et à la maîtrise de soi, que les soupirants de la culture prêtent avec un bel optimisme à « l'homme réellement cultivé [5] ».

On ne peut rendre compte des « bricolages symboliques » de ces autodidactes, de leurs désirs de connaître, de leurs exigences artistiques à partir de l'habitus ; ces « primaires » (p. 92) voient dans la culture bien autre chose que la distinction : un moyen d'accès à ce qui ressemble étrangement à une « émancipation ».

Pierre Bourdieu n'a rien à nous dire sur ce processus d'acculturation. Il ne nous dit pas comment l'ouvrier autodidacte passe du silence populaire défiant « à l'égard de toute espèce de parole et de porte-parole » (p. 541) à ces incessants bavardages qui tant lassent les bourgeois cultivés [6].

Tout comme il nous laisse ignorer quels rapports (représentations ou automatismes ?) celui qui manque à la loi toute-puissante de l'habitus entretient avec la classe à laquelle il est socialement assigné ou dont il est originaire.

Enfin, en ramenant la « contre-culture » à un marché pour reconvertis modernes, Bourdieu oublie qu'il est là sur les bordures, les marches des classes ; qu'il est là où elles se tutoient, se frôlent et où les repères se diluent. Qu'en compagnie du « petit-bourgeois new look », qui « se veut inclassable, "exclu", "marginal" » et qui par excellence serait l'homme de la « dénégation du classement », voisinent les figures plus interlopes et plus confuses de l'adolescent « fugueur » ou du jeune ouvrier rebelle au travail. Le principe de leurs comportements n'est peut-être pas tant le désenchantement devant l'identité sociale qu'offre réellement à son terme l'appareil scolaire (p. 161) que l'abandon anticipé du destin social que celui-ci

---

5. *Ibid.*, p. 372.
6. *Ibid.*, p. 360.

promet : la condition ouvrière ou les emplois déqualifiés du tertiaire.

La « contre-culture » est peut-être un lieu symbolique privilégié pour celui qui, pour ne point encore se chercher fondamentalement autre à sa classe, se cherche autre aux conditions culturelles et matérielles que celle-ci lui assigne.

Déplacée par rapport à la culture savante et aux stylisations des classes dominantes, elle présente la particularité d'être, au regard des barrières et des écrans culturels, en proximité avec l'univers populaire, mais aussi d'être ce discours *contre* qui se prête à ceux qui se refusent à l'imposition des normes matérielles et symboliques dominantes, à leurs hiérarchies et à leurs conformités productives et sociales.

Dès lors, s'il faut effectivement parler d'une transversalité pour rendre compte de ces types d'accculturation, plus sourds, moins crispés que ceux des autodidactes, ce n'est pas parce qu'il s'agit d'une mobilité, mais plutôt d'une circulation sociale, où se jouent des phénomènes de glissement culturel, où s'échangent styles vestimentaires, registres musicaux, voire régimes alimentaires.

On ne fera pas l'énumération de toutes les figures plus ou moins prégnantes que ces fractures culturelles supposent ; elles se condensent autour d'un unique concept, celui d'*intermédiaire*. Les intermédiaires ont pour spécificité d'osciller entre une classe et une autre, mais surtout d'avoir des types de localisation multiples, « acentrés » à l'intérieur de l'univers populaire. Ils y tissent ainsi leurs liens et leurs sociabilités, ils s'y défendent par leurs bavardages et par leurs critiques et peuvent être tout autant objet d'*exclusion* que d'*imitation*.

Si *La Distinction* leur est si étrangère, n'est-ce pas parce qu'elle a exclu les classes populaires de toute création ou innovation culturelle ? N'est-ce pas surtout parce que les intermédiaires mettent à mal tous les principes de clôture en subvertissant la trop parfaite topologie de l'intérieur et de l'extérieur qui fait que, selon Pierre Bourdieu, on ne peut être qu'à *une* place, résolument classé[7] ?

---

7. Nous ne sommes pas loin de la leçon sur Amour que Diotime enseignait à Socrate :

« Car ce qu'il y a précisément de fâcheux dans l'ignorance [...] c'est que celui qui ne croit pas être dépourvu n'a point envie de ce dont il ne croit pas avoir besoin d'être pourvu.

C'est bien la possibilité d'échange, de passage qui pour Bourdieu est impensable, puisque l'habitus présuppose un principe d'évitement « mettant à l'abri des crises et des mises en question » (*S P*, p. 102). Pourtant, il nous semble que c'est ici que joue la plus grande efficacité de ces « néo-philanthropes » que sont, selon Bourdieu, certains « petits-bourgeois new look », ceux-là mêmes qui, « faisant profession de prosélytisme, ont fait de prosélytisme profession » (p. 428). Car c'est peut-être bien dans ces échanges et dans leurs lieux de prédilection où certaines fractions des classes populaires se cherchent et se cherchent autres qu'elles risquent d'être retournées par cette « nouvelle éthique qui trouve son terrain privilégié dans l'avant-garde de la bourgeoisie et de la petite bourgeoisie et s'accorde parfaitement avec une forme de conservatisme éclairé » (p. 431).

« Et pourtant elles se meuvent... »

Il nous faut laisser temporairement ces moments et ces lieux où les identités se confrontent souvent et s'affrontent parfois, pour nous interroger sur le chapitre 2 de *La Distinction* où sont décrites les transformations objectives des phénomènes sociaux [8].

Tout semble se passer comme si Bourdieu, à la faveur de simplifications de plus en plus grandes oubliait ce chapitre dans la suite du livre. Il nous y apprend cependant que : « Le moindre paradoxe de ce que l'on appelle la "démocratisation scolaire" n'est pas qu'il aura fallu que les classes populaires, qui jusque-là n'en pensaient pas grand-chose ou acceptaient sans trop savoir l'idéologie de "l'école libératrice", passent par l'appareil secondaire pour découvrir, à travers la relégation et l'élimination, l'école conservatrice » (p. 161). N'est-ce pas le déplacement des classes populaires que Pierre Bourdieu en

---

— Quels sont donc alors, Diotime, m'écriais-je, ceux qui s'emploient à philosopher, si ce ne sont ni les sages ni les ignorants ?

— [...] Ce sont ceux qui sont intermédiaires entre ces deux extrêmes [...] », PLATON, (*Le Banquet*, 204 a-b).

Platon éclaire un peu mieux la place assignée au populaire dans la distinction. A l'égal de l'ignorant dont parle Diotime ignorant son ignorance, les classes populaires ne seraient autres que ces dépossédés, dépossédés du savoir de leur dépossession. Redécouvrir parmi celles-ci la trace de l'intermédiaire, c'est réinvestir leur lieu de l'interrogation et, pourquoi pas, de la crise et de l'étonnement.

8. On y remarque plus particulièrement des photographies des « nouvelles chaînes » du tertiaire sur lesquelles Bourdieu n'aura jamais l'occasion de s'attarder.

vient à pointer ? N'ont-elles pas tenté, elles aussi, de se « faire petites », d'accumuler pour se porter et surtout pour porter leurs progéniture dans une autre condition, dans une autre situation ? Etrange histoire, donc, que celle de ces classes tout à l'heure insouciantes de leur avenir et de leur devenir parce que trop conscientes de n'en avoir aucun et qui en viennent à présent à rêver d'une vie autre, au-delà d'elles-mêmes !

Mouvements plus massifs que ceux propres à la *constellation* des intermédiaires. Le seul fait que les classes populaires ou certaines fractions d'entre elles aient opéré un processus de translation et qu'elles en aient été dans une large mesure flouées suffit pour montrer que dans ce mouvement, certes sur elles-mêmes, c'est-à-dire de retour à une identité de place [9], elles n'en ont pas moins changé d'identité.

Si l'habitus de classe, là encore, ne pourvoit plus à l'explication, peut-on réduire vraiment un tel mouvement aux seuls effets d'imposition ? Pour comprendre ces mutations d'identité qu'est bien obligé de reconnaître le sociologue, ne faut-il pas inverser ses logiques, suivre les lignes de fuite d'une condition, mais aussi les moyens mis en œuvre pour surseoir à la dépossession ?

Trajets multiples, complexes, diffus, entre les voies institutionnelles (appareil scolaire) ou professionnelles et celles des « marginalités », entre les formes traditionnelles de résistance au chômage par la lutte ou les reconversions et les formes nouvelles de désaffection à l'égard du travail et de « conciliation » au coup par coup avec la déqualification des emplois tertiaires ou la précarisation de certains secteurs du salariat. Car tous ces « néos » que Bourdieu ne cesse d'exhiber sous les traits du petit-bourgeois appartiennent bien pour une part aux classes populaires. Et c'est peut-être à force de tutoyer ces derniers que les premiers peuvent *éventuellement* trouver l'occasion de les re-normaliser.

Les voies de la dépossession sont assurément plus tortueuses que ne le suppose le sociologue, puisque c'est aussi là où elles inventent, créent, résistent, bref, excèdent la conformation et la soumission que l'on se fait fort de leur prêter, que les classes populaires peuvent rencontrer l'échec, le fourvoiement, ou les conditions nouvelles de leur aliénation.

Car, si l'espace social est aujourd'hui en transformation, c'est

---

9. Retrouvant là l'idée de « reconversion sur place ».

certes parce qu'à mesure de l'évolution du chômage et des restructurations de l'appareil productif certaines identités sont brisées, détruites par la perte des enracinements territoriaux, des comportements professionnels, mais parce qu'également d'autres formes de comportements et d'identités apparaissent ou résistent ; pour les uns le retour à l'artisanat, pour d'autres les velléités d'un « travailler autrement » et plus massivement les formes d'évasion des rigidités du salariat dans la mutation des comportements au niveau du travail.

Dès lors, ramener ce qui ressortit au populaire à la *reproduction*, c'est-à-dire à ce lieu qui, puisqu'il est forclos du symbolique, condamne ceux qui le peuplent à un « dessaisissement » absolu, c'est non seulement manquer les mutations d'identités qui se sont réalisées depuis ces vingt dernières années, mais en outre s'interdire d'en comprendre les devenirs dans les bouleversements économiques de notre temps.

A la science de la *discretio*, qui donne aux goûts et aux dégoûts ce formidable pouvoir de répulsion entre les classes, il faut donc opposer d'autres perpectives d'interrogations.

Il s'agit de reprendre les enjeux qui, au-delà de la logique de distinctions, se sont noués et se nouent dans le rapport des classes populaires au symbolique et aux stylisations, mais encore d'envisager la multiplicité des phénomènes transitoires, indécis, de conciliation et de connexion entre ces classes et les diverses fractions de la petite bourgeoisie.

Derrière la question des identités et des identifications se dessine un élément sans doute déterminant pour la compréhension des sociétés contemporaines : celui des formes d'alliance, de compromis, de fracture ou de repli que passera ou produira chacune des composantes des classes populaires.

Patrick CINGOLANI

101

Démocratie sociale et cuisine pédagogique

Une certaine idée de la pédagogie démocratique, appuyée sur un certain savoir sociologique, occupe aujourd'hui le devant de la scène. D'anciens militants et théoriciens de la chose scolaire, rompus à l'analyse marxiste de l'école capitaliste, à l'observation des micropouvoirs, à l'apologie des réalisations socialistes et des expériences marginales, exposent d'un ton nouveau les conditions présentes d'une éducation démocratique. La démocratie exigerait en priorité de réformer les collèges. Et à cette fin il faudrait, peut-être même il suffirait d'appliquer (vraiment) un certain nombre de principes pédagogiques : ceux-là mêmes que propose le rapport remis au ministre de l'Education par Louis Legrand [1] : concertation des professeurs, groupes-classes à effectifs variables, tutorat, enseignement interdisciplinaire, développement de la sociabilité scolaire, promotion de l'enseignement technologique, etc.

Ce ralliement de forces militantes à une pédagogie prônée pendant des années à l'Institut national de recherche pédago-

---

1. Louis LEGRAND, *Pour un collège démocratique*, La Documentation française, 1983.

gique [2] n'était pas même imaginable il y a peu. Pourquoi cette pédagogie-là ? Pourquoi lui donner un tel poids politique ? Chacun voit bien que cette évolution prend la mesure de la situation créée par la victoire électorale de mai 1981. Dans les années soixante-dix, les expériences pédagogiques menées dans quelques établissements pilotes sous l'égide de Louis Legrand avaient reçu leur sens politique d'être rapprochées de l'agitation lycéenne. Elles témoignaient, avec la modestie dévolue aux innovations tolérées par l'Etat et limitées au domaine pédagogique, de ce que les lycées saisis par la contestation proclamaient chacun à leur tour dans l'éclat des grèves et des manifestations : la vieille école devait disparaître. Elle devait céder la place à des structures qui inventeraient, pour une société différente, des rapports inédits au savoir et à la culture. Le gouvernement issu de la victoire électorale de la gauche, en demandant à Louis Legrand de faire de ses expériences pédagogiques un programme pour les collèges, leur donne un tout autre sens. Elles ne sont plus un bouillonnement pédagogique témoignant d'un mouvement politique à la fois plus profond et plus général. Elles sont une pédagogie assurée de ses procédés, chargée de réaliser la politique définie par l'Etat, c'est-à-dire d'instaurer enfin la démocratie dans l'enseignement obligatoire.

Politique et pédagogie : les règles d'un échange

On comprend bien que le pouvoir politique saisisse l'institution scolaire du problème des enfants qui échouent, de leur inégale réussite, selon la classe sociale à laquelle ils appartiennent [3]. L'école ne se contente pas d'enregistrer cette inégalité. Elle la traite. Elle est un des lieux où les classes riches et les classes pauvres entrent symboliquement en contact, et ce lieu se prête plus ou moins à l'aspiration démocratique. Que ce soit plus ou moins n'est pas une question de peu d'importance.

---

2. Il s'agit d'un ensemble de modifications introduites dans des établissements expérimentaux, à l'époque où L. Legrand était directeur de l'INRP. Le régime précédent avait destitué Louis Legrand de ce poste avec une rare brutalité.
3. L'école rencontre le problème de l'échec scolaire des classes populaires au début du siècle, c'est-à-dire dès la fréquentation effective de l'école primaire. Elle en fait d'emblée la source d'un travail d'organisation et de réflexion sur elle-même. Voir en particulier J. HÉBRARD, « Instruction ou éducation », *Ornicar*, n° 26-27, 1983.

Elle autorise au contraire des échanges complexes et riches entre le politique et le pédagogique. Ce qui fait problème n'est donc pas qu'un pouvoir de gauche intervienne à son tour dans cet échange. Chacun plutôt s'y attend. C'est l'extrême simplicité et pauvreté de l'échange institué qui surprend. Au lieu de faire jouer les familles de significations, nombreuses et diverses, du politique et du pédagogique, il s'empresse de provoquer un accord unique entre eux, qui porte sur des procédés pédagogiques. Il se réduit à conclure un marché sur le sens démocratique de la concertation des professeurs, des groupes-classes à effectifs variables, du tutorat, de l'enseignement interdisciplinaire, etc. [4].

Du côté de la pédagogie, cet accord sur les procédés expérimentés par Louis Legrand ramène le problème à un cas de figure classique : celui qui fait dépendre le succès de la démocratie (ou de toute autre idée pédagogique) de la bonne ou mauvaise volonté des enseignants à appliquer des recettes sur lesquelles les spécialistes de l'éducation et le pouvoir politique se sont accordés. Or cette position du problème est injuste tant à l'égard de la capacité pédagogique des enseignants qu'à l'égard de la capacité politique des recettes. Elle postule que l'échec a une cause précise : les enseignants *ne savent pas* mettre en pratique leur engagement démocratique.

On peut certes alléguer que depuis la suppression de l'examen d'entrée en sixième et l'instauration par René Haby du collège unique ce ne sont plus les structures administratives qui contrecarrent la bonne volonté politique des enseignants mais les pratiques pédagogiques elles-mêmes. Faut-il pour autant supposer aux enseignants une méconnaissance inévitable du sens effectif de leur pratique ? C'est pourtant ce qui se passe, dès lors que le rapport Legrand [5] et le ministère socialiste, tout en rendant hommage à leurs bonnes intentions, font le choix d'un ensemble de recettes et leur confèrent la dignité de principes démocratiques. Ils imposent ainsi une certaine philosophie : qui

---

4. Sur ce lien univoque entre les significations politiques et les significations pédagogiques, par exemple cette phrase de L. Legrand : « Il n'y aura pas de collège démocratique sans concertation des partenaires et tutorat » (*Rapport Legrand*, p. 79).

5. C'est ce cas de figure, précisément, qui, tout en vouant les spécialistes de la pédagogie à une tâche interminable, recrée en permanence la fonction du spécialiste et les recettes. Ce point a été montré par J.-C. POMPOUGNAC (« La chose scolaire », in « Les Crimes de la philosophie », *Recherches*, n° 49, 1983).

veut mettre en pratique son engagement à gauche doit, plutôt que de courir après des illusions et des représentations trompeuses, se fier aux recettes garanties par les savoirs pédagogiques et approuvées par le gouvernement.

Ce traitement du problème ne rend pas non plus justice aux recettes pédagogiques (y compris à celles qu'il préconise). Il prétend fixer leur sens, un sens que la plupart pourtant ont perdu depuis longtemps. Car ce que le savoir pédagogique reproche traditionnellement aux recettes, de n'avoir pas de sens en elles-mêmes, est précisément ce qui en fait la richesse pratique. Elles remplissent une multiplicité de fonctions. Elles donnent satisfaction dans diverses situations pédagogiques et valent pour plusieurs pratiques sociales. Ainsi le tutorat ne possède pas en lui-même le sens de la fraternité démocratique plus que celui d'un abandon de la tâche d'enseignement. L'école réinvente indéfiniment les mêmes recettes pour leur donner des usages multiples, leur assigner des sens différents. Sans cesse, elle cherche à compenser, par une intensivité pédagogique exercée sur un nombre récent de recettes de base inlassablement combinées, la difficulté et la complexité des significations politiques dans lesquelles elle est prise. En fixant le sens d'un certain nombre de recettes, en déclarant démocratiques celles-là, la mission Legrand et le gouvernement de la gauche n'interdisent pas sans doute toute inventivité. Mais ils excluent du champ de l'inventivité démocratique les autres. Et ce faisant ils suivent un débat insoluble (si ce n'est autoritairement) : celui du vrai sens de chaque recette.

Mon propos ici n'est pas d'examiner les autres sens et les autres usages qui se trouvent ainsi exclus. Je l'ai partiellement entrepris ailleurs [6]. Il est de comprendre le sens qu'y mettent les pédagogues de la mission Legrand et le gouvernement, qui a provoqué cette mission et en a approuvé les propositions. Sur quel usage de la pédagogie sont-ils tombés d'accord ? Je voudrais montrer qu'ils se sont entendus pour voir dans l'école une institution sociale (et non pas par exemple un appareil poli-

---

6. J'ai étudié de ce point de vue le sens donné à l'activité écrite par un instituteur du début du siècle, Eugène Dufour (dans S. DOUAILLER, F. MARCHAND, G. NAVET, J.-C. POMPOUGNAC, J.-P. THOMAS, P. VERMEREN, *La Mémoire d'Auteuil*, imprimé à l'EN d'instituteurs de Paris). Et, en collaboration avec P. Vermeren, celui donné par Victor Cousin en 1828 à la leçon magistrale et en 1842 par Joseph Ferrari à l'exposé de la politique de Platon (voir J. FERRARI, *Les Philosophes salariés*, préface, Payot, 1983).

tique), et pour penser que le bon usage de cette institution, et la démocratie, supposaient une certaine conversion des enseignants, une abdication de leur fierté d'intellectuels. Je voudrais aussi montrer qu'ils ont pu s'accorder sur ces conclusions parce qu'ils partagent un savoir sociologique ambiant, celui en gros des thèses défendues dans les années soixante-dix par Baudelot et Establet dans *L'Ecole capitaliste en France*[7], converti quelques années plus tard à la problématique de la distinction développée progressivement par Pierre Bourdieu.

De la Révolution culturelle aux sociabilités populaires

Au moment de s'ouvrir sur un bilan du fonctionnement actuel des collèges et d'opposer les intentions démocratiques des enseignants à la persistance de l'échec scolaire des enfants issus des couches populaires, le rapport Legrand rappelle ce qui fut le cheval de bataille de l'époque précédente : la question des *filières*. Il fait sienne la leçon martelée pendant des années par les travaux de Bourdieu et Passeron, de Baudelot et Establet : l'école, qu'elle se donne comme unique ou comme une variété de trajets individuels, est structurée de manière à offrir deux réseaux étanches, dans lesquels les enfants des classes aisées accèdent aux études longues et ceux des classes populaires sont conduits à interrompre rapidement leur scolarité ou à perdre leur temps dans des sections d'attente. A l'époque où cette leçon se faisait entendre, multipliant les démonstrations statistiques, diffusant les thèmes inédits de la sociolinguistique américaine, le retour philosophique à la théorie marxiste lui procurait écoute et impact politique. Les filières, révélées par les sociologues, confirmaient les concepts développés par Louis Althusser. Elles vérifiaient empiriquement la nature de l'école comme « appareil idéologique d'Etat[8] », celle d'une école qui reproduisait la société et sa division en classes. Et de ce fait elles commandaient largement les questions relatives à l'institution scolaire. Si l'on voulait agir sur l'école autrement que d'une manière apparente, il fallait engager une action suffisamment révolutionnaire pour en affecter la structure profonde, et briser, au premier chef, son

---

7. Maspero, 1974.
8. L. ALTHUSSER, « Idéologie et appareils idéologiques d'Etat », *La Pensée*, n° 151, mai-juin 1970.

fonctionnement en filières. On ne modifierait quelque chose à l'école qu'au prix d'une certaine radicalité. Cette exigence ébranlait durablement les revendications traditionnelles du syndicalisme enseignant. L'analyse sociologique révélait leur inefficacité : aucune augmentation de crédit, aucune passerelle, aucune correction des handicaps ne touchait à l'essentiel, c'est-à-dire aux filières. La philosophie marxiste invalidait leur signification politique : l'école devait être, non pas *moins pauvre*, mais *plus populaire* ; il ne fallait pas chercher à perfectionner l'orientation professionnelle, mais instituer l'alternance de l'étude et de la production ; on ne devait pas expliquer aux enfants des ouvriers le code ésotérique de la culture bourgeoise, mais donner toute leur place aux savoirs de la culture ouvrière. Quand le rapport Legrand retrouve aujourd'hui la question des filières, il fait sienne, en apparence, l'intégralité de cette leçon. Il ne propose pas de corriger le fonctionnement en filières à l'aide de passerelles, mais d'empêcher la constitution même des filières en supprimant le groupe-classe qui en fournirait le point de départ. Il ne veut pas corriger davantage le langage et l'expérience des enfants issus des couches populaires pour les rendre conformes aux discours et aux savoirs scolaires, mais définir pour ces enfants des cheminements pédagogiques inédits qui partent de leur langage et de leur expérience propres. Entre les conceptions issues des années du gauchisme et les propositions de la mission Legrand, il n'y a peut-être qu'une seule vraie différence. Elle porte sur le point le plus délicat et le plus critiquable dans les deux cas : la définition du populaire. Chez Baudelot et Establet, dans les années soixante-dix, le peuple était ce qui peut être défini sur la scène de l'histoire au plus proche des organisations ouvrières, des luttes du prolétariat, des traditions du mouvement ouvrier. Et l'école ne pouvait se dire démocratique, sauf à faire des références vides de sens, qu'à rejoindre cette scène historique sur laquelle le peuple lui-même faisait l'histoire. La lutte pour une instruction populaire de masse, écrivaient-ils en 1975, « ne peut être menée par les enseignants seuls, sans l'appui et sans le contrôle des organisations ouvrières ». Cette lutte, qui, de proche en proche, concerne l'essentiel des contenus et méthodes de l'enseignement scolaire bourgeois, est une lutte de classe, comme l'indiquait dans nos meilleures traditions nationales l'expression « contre-enseignement prolétarien [9] ». La dimension

---

9. Ch. BAUDELOT et R. ESTABLET, *L'école primaire divise...*, Maspero, 1975, p. 117-118.

du populaire est saisie dans une histoire largement extérieure à l'école elle-même, et introduite dans les questions scolaires sous la condition que l'école s'ouvre à cette histoire, se fasse historique dans ce sens-là. Dans le rapport Legrand, en revanche, la définition du populaire paraît se faire bien plus directement. Les collèges tiendraient compte du peuple dès l'instant où ils deviendraient des lieux de vie et se consacreraient au concret.

Adapter l'enseignement aux couches sociales populaires, c'est pour le rapport Legrand voir que celles-ci « sont plus sensibles à l'activité technique utile » (*Rapport Legrand*, p. 36) ; qu'elles se tiennent éloignées, en revanche, d'une « voie plus verbale et plus livresque » (p. 52).

Une telle conviction trouve assez aisément à se traduire pédagogiquement. Le rapport Legrand propose de réduire les matières classiques (du moins en tant que cursus obligatoire), d'accorder plus de temps aux activités physiques et à l'expression artistique, de donner à la technologie le statut d'une « nouvelle discipline de base, parallèle aux sciences expérimentales et à l'histoire et géographie » (p. 52) [10]. Le langage serait étudié moins dans sa forme que dans sa fonction de communication ; les mathématiques moins dans leur logique que dans leurs applications physiques, technologiques, économiques ; les sciences de la nature moins comme des idées que comme des expérimentations concrètes et des activités de laboratoire.

Du concret pour les enfants du peuple

A vrai dire, ce programme de propositions, qui s'offre aux collèges avec des significations nouvelles puisqu'il promet aujourd'hui la démocratie et la réalisation des projets pédagogiques de la gauche, n'est en lui-même pas du tout nouveau. Au contraire. Depuis qu'elle est, l'école n'en finit pas de dénoncer le pédantisme de ses maîtres, le verbalisme de son enseignement, le caractère artificiel de ses exercices. Il semble que cela

10. Il s'agirait de mettre fin à l'ignorance de la culture technique dans laquelle les études classiques laissent, tout en intellectualisant, une discipline souvent réduite à des apprentissages élémentaires.

ne puisse jamais être assez démontré. Il resterait toujours quelqu'un qui n'aurait pas compris, et les esprits avertis eux-mêmes ne seraient jamais suffisamment convaincus. Qu'il faille s'adresser non seulement à l'intellect des enfants mais à toutes leurs capacités de sentir, d'imaginer, d'agir, s'adresser même moins à l'intellect qu'aux autres facultés, telle est bien la leçon la plus répandue des pédagogues. Et presque toute leur pédagogie.

Cette pédagogie peut être énoncée dans un cadre modeste : promettre l'intérêt des enfants et la paix dans la classe. Mais politiquement elle doit faire la preuve qu'elle ne cantonne pas les enfants, et en particulier les enfants des classes populaires, dans la connaissance physique des objets, dans les savoirs utilitaires, dans les questions pratiques. C'est sur ce point que Louis Legrand fait jouer toute son autorité, les résultats obtenus sous sa direction dans les collèges expérimentaux, son savoir de pédagogue. On pourrait, promet-il, introduire largement dans l'école des activités concrètes, des occupations techniques, sans « renoncer en rien aux objectifs d'une formation théorique et abstraite » (*Rapport Legrand*, p. 37). Les notions théoriques, les idées abstraites sont virtuellement en toutes choses. Elles peuvent être saisies sur les objets mêmes aussi bien que dans les discours qui parlent de ces objets. Et sur les objets réels des pratiques sociales et des pratiques techniques aussi bien, et peut-être même mieux, que sur les objets artificiels de la pratique scolaire. Ce serait précisément la tâche de la pédagogie d'inventer des situations et des procédures permettant aux élèves d'accéder, au sein même d'un univers pratique et concret auquel se limite le champ d'expériences d'une majorité d'entre eux, à la dimension abstraite des idées et de la connaissance.

Cette pédagogie, capable de réhabiliter l'expérience pratique et de résoudre pour une bonne part le problème politique posé à cet égard par l'existence de classes sociales spécialement vouées à cette expérience pratique, propose, sauf erreur, trois directions de recherche. D'abord, nous dit-on, il faudrait ouvrir la relation pédagogique, trop souvent confinée dans le tête à tête du maître et de l'élève, à d'autres sociabilités : relations d'émulation et de complicité au sein d'une action collective, relations de confiance dans un tuteur, prise de responsabilités dans le cadre d'un projet pédagogique, etc. Plus variées seraient les situations et les relations qu'elles induisent, plus l'élève expérimenterait des rapports divers du concret et de l'abstrait, et plus il aurait de chances de trouver son propre chemin pour aller de l'un à l'autre. La deuxième direction s'inspire de la psychologie génétique de Jean Piaget. Elle se propose de suivre, dans le développement de l'intelligence, le passage qui conduit des opérations concrètes (encore le concret) aux opérations formelles. La troisième, enfin, se penche plus particulièrement sur cet enseignement technologique dont le rapport Legrand propose de faire une discipline de base, pour y favoriser les rapports dialectiques de la matière et de l'idée. Je me contenterai de faire deux remarques sur ces questions qui paraissent entrer pour une part dans les aspects techniques de la pédagogie.

En dépit de l'enjeu politique que l'on confie ici à la pédagogie, les questions soulevées le sont, comme il est habituel dans ce qui s'appelle la recherche pédagogique, avec la plus grande légèreté. On ne définit pas le rapport des sociabilités scolaires au savoir. On ne s'attarde pas sur le sens que Piaget donne aux concepts d'opérations concrètes et d'opérations formelles. On ne demande pas aux partisans de l'enseignement technologique ce qu'ils veulent dire quand ils parlent d'une dialectique de l'action et de la réflexion. Les questions sont à peine soulevées qu'elles sont déjà des réponses. Même si, comme la mission Legrand y insiste à plusieurs reprises, tout reste encore à inventer, on en est déjà aux conclusions. Changer la relation pédagogique, laisser jouer la dialectique inhérente à la technologie, cela permettrait aux enfants de passer du concret à l'abstrait : de même que le concept piagétien d'opérations concrètes justifierait un enseignement concret pour les enfants du collège comme étape préparatoire à l'abstraction [11]. La théorie pédagogique est ici conforme à la description qu'en donnait Durkheim [12]. Elle s'élabore toujours dans l'urgence et dirige la pratique avant de s'être assurée de ses raisons. Et à vrai dire, il n'y a peut-être pas de recherche pédagogique. Il n'y a peut-être que ce qu'on aperçoit le plus souvent : une anticipation d'effets à obtenir dans la pratique, que les chercheurs pédago-

---

11. C'est la manière la plus répandue de se servir dans les écoles de J. Piaget. L. Legrand utilise cette facilité quand il écrit : « L'étude et la production des objets techniques offrent à l'apprenant des situations d'apprentissage privilégiées pour motiver le dépassement du "concret" et accéder à une réflexion capable de dégager les structures abstraites constitutives de la pensée mathématique ou scientifique » (p. 49). Psychologiquement, l'affirmation, ni vraie ni fausse, est gratuite. Elle fait l'objet d'une mise au point dans le rapport lui-même (F. Cros, p. 235-236).

12. E. DURKHEIM, *L'Education morale*, p. 1 et s.

giques réinventent obstinément en les mettant au goût du jour, et qui s'appliquent moins à maîtriser techniquement les pratiques scolaires qu'à inspirer le contrôle exercé sur les enseignants par les formateurs d'enseignants et les inspecteurs.

La seconde remarque à faire est appelée par l'insistance que le rapport Legrand met à souligner la dimension du concret. On comprend bien que les collèges, qu'ils s'inspirent ou non à cet égard des propositions de la mission Legrand, s'intéressent à d'autres sociabilités scolaires ou à la culture technique. On admettrait tout à fait de penser que de telles évolutions peuvent conduire à des découvertes qui constitueraient des progrès pour l'instruction populaire. Mais on ne voit pas au premier coup d'œil pourquoi ces sociabilités et cette culture devraient tant s'imprégner de questions « concrètes ».

Qu'est-ce qui est populaire ?

L'insistance sur le « concret » tente en réalité de résoudre une difficulté : notre ignorance des pratiques populaires du savoir et de la culture. Nous ne savons au juste ni s'il y en a, ni à quoi elles ressemblent, ni a fortiori quelle instruction démocratique elles pourraient désigner. Si le rapport Legrand conclut un accord entre la politique et la pédagogie, c'est un accord sur des substituts à cette ignorance. Que le savoir « populaire » soit un savoir « concret », cette opinion commune peut venir par exemple des schémas contemporains des analyses de Baudelot et Establet. Là aussi le peuple édifiait sa culture dans la pratique. Mario illustrait les caractéristiques mécaniques opposées du béton et de la ferraille, et la loi de l'unité des contraires, en coulant un linteau en béton armé dans un chalet du Jura [13]. Il reste que, même si les vertus de cette dialectique paraissent séduire encore au sein de la mission Legrand les partisans de l'enseignement technologique, l'époque est manifestement passée où cette inventivité bricoleuse s'égalait à la démarche d'un mouvement ouvrier prenant en charge sa propre émancipation sur la scène de l'histoire. L'heure est à la pédagogie d'Etat. L'idée d'un peuple acquérant ses idées dans la pratique n'oppose plus une instruction donnée sous le contrôle des ouvriers aux deux réseaux de scolarisation de la domination bourgeoise,

---

13. Ch. BAUDELOT et R. ESTABLET, *L'école primaire divise...*, p. 113.

mais les enseignants formés à la culture classique aux élèves accueillis dans les collèges de banlieue. La question n'est plus de la domination bourgeoise ou du contrôle ouvrier, mais de la différence entre deux cultures.

Quand le rapport Legrand attribue en effet aux enfants des milieux populaires une expérience pratique, un univers concret, il pense manifestement beaucoup moins aux formes de savoir dont témoignerait le mouvement ouvrier qu'à des images répandues sur les enfants issus des milieux populaires. Comme on sait, on les verrait plus souvent scier le pot d'échappement de leurs mobylettes que s'enfermer, à la manière de Leibniz enfant [14], dans la bibliothèque paternelle. Ils seraient plus amateurs de rock et de bandes dessinées que d'art lyrique et de poèmes élégiaques. Or, à supposer que ces images soient vraies, à supposer par exemple que les enfants d'ouvriers acceptent de s'y reconnaître, on ne voit pas cependant que ce lot de représentations dans lequel on prétend décrire l'univers des jeunes appartenant aux milieux populaires ait à se traduire pédagogiquement par un enseignement concret. Le rock serait-il concret ? Les bandes dessinées seraient-elles concrètes ? Etc. Mais il n'y a pas même à faire cette supposition du tout. Ces images sont des images convenues, et on pourrait d'abord soutenir sans aucune invraisemblance des images parfaitement opposées : établir qu'en matière d'art musical ils jugent beaux les opéras ; ou que pour la poésie ils se révèlent systématiquement sensibles à l'élégie. Ces images convenues de mobylettes, de rock, de bandes dessinées sont en réalité celles d'une certaine *visibilité* du populaire dans laquelle les questions d'art musical ou de poésie sont *précisément absentes*. Elles ne sauraient rien indiquer sur les pratiques populaires du savoir et de la culture. Les banlieusards un peu loubards qu'on nous a si souvent montrés, afin qu'on sache bien quelle population est aujourd'hui dans les collèges, peuvent avoir, pour trafiquer leurs mobylettes, toutes sortes de raisons auxquelles un savoir et une culture auraient comme tels peu de part. Ils n'ont probablement pas plus le sentiment d'exprimer là une *culture* propre que le jeune bourgeois lavant la Mercedes de son père. C'est la flexibilité du concept de culture qui permet d'opposer la mobylette non plus à la Mercedes mais aux alexandrins et de définir par là le « propre » de chaque classe. Dans l'insistance du rapport Legrand

---

14. Voir V. DELCROIX, *Les Jeunes Enfants illustres*, 1864, p. 196.

sur l'expérience « pratique » des jeunes issus des milieux populaires et sur l'univers « concret » dans lequel ils évoluent, on peut craindre que ce ne soient ces images en miroir truqué qui jouent et, par leur répétition, contraignent le projet pédagogique.

Démocratiser les enseignants ?

Ces représentations de la différence culturelle ont en effet un avantage : elles fournissent par elles-mêmes la réponse « sociologique » au problème de l'inégalité scolaire. Elles disent que la démocratisation scolaire a échoué *parce que* les enseignants appartiennent à une autre culture que les enseignés : parce qu'ils sont toujours *trop intellectuels* pour un collège démocratique. Ce point, le rapport Legrand tente de l'établir explicitement en esquissant une certaine histoire de l'enseignement secondaire et de ses problèmes. Celui-ci, rappelle-t-on, aurait été conçu pour conduire séparément des populations distinctes vers des fins spécifiques. La scolarité traditionnelle conduisait les meilleurs enfants des ouvriers vers les compétences techniques ; ceux des artisans ou des commerçants vers les métiers du secteur tertiaire ; les héritiers des classes dominantes vers l'enseignement supérieur (les autres ne faisaient pas ou peu d'études secondaires). Cette institution ne pouvait qu'entrer en crise dès lors que les politiques de démocratisation lui assignaient d'offrir à tous en même temps une scolarité homogène.

Louis Legrand complète ce schéma, assez classique, de l'idée d'un « déphasage » [15] entre l'institution et le milieu. « Il est indispensable, écrit-il, de penser désormais les problèmes éducatifs dans cette conjonction école-société à laquelle Durkheim nous avait habitués de façon théorique, mais dans un contexte tel que l'utilité de cette méthode avait pour la plupart échappé » (*Rapport Legrand*, p. 294). Appliquant cette méthode, il oppose le déphasage actuel qu'il dénonce à la profonde cohérence qui aurait uni vers 1880 l'école à son milieu. La pédagogie était autoritaire ? La société aussi. L'étude était désincarnée ? Le milieu compensait, par la richesse de la vie physique, affective et sociale qu'il offrait à chacun.

---

15. Les pages que L. Legrand consacrent à ce thème sont d'une inspiration très proche d'un article d'A. Prost (chargé par le ministre d'une mission sur les lycées) : « L'école et l'évolution de la société », *Esprit*, n° 11-12, novembre-décembre 1982.

Ces affirmations abruptes sur le siècle précédent légitiment, dans le rapport Legrand, deux idées. Elles conduisent — le milieu s'étant, nous dit-on, appauvri au xxᵉ siècle — à la proposition de faire de l'école un « lieu de vie capable de satisfaire les besoins affectifs, sociaux et actifs que le milieu de vie extérieur n'est plus capable de satisfaire » (*Rapport Legrand*, p. 294). Elles permettent, d'autre part, de penser que la crise actuelle de l'enseignement secondaire est en partie due à la *survivance* intempestive d'un style pédagogique issu des années 1880. Malgré les changements qui auraient profondément transformé la société et la fonction de l'école depuis le xıxᵉ siècle, les enseignants n'auraient pas modifié fondamentalement leur manière d'enseigner, ni les objectifs qu'ils assignent à leur enseignement. Ils continuent à pratiquer la sélection des élites, quand l'époque requiert un enseignement différencié de masse. Ils s'obstinent à vénérer les programmes nationaux de leurs disciplines quand leur public nécessite désormais des actions de circonstance interdisciplinaires. Ils perpétuent le culte de l'intellect, quand leur siècle aspire à des expériences de vie. Par tous ces traits, les professeurs d'aujourd'hui se feraient l'écho d'une pédagogie *ancienne*, irrémédiablement étrangère aux structures éducatives que la modernité réclame.

Or, sous ses dehors élaborés, cette explication historique du présent est largement *ad hoc*. L'origine vieille d'un siècle, par exemple, dans laquelle on prétend saisir l'*habitus* professoral comme à l'état de nature offre à l'observation des surprises. Quand, en effet, l'enseignement des années 1880 réfléchit sur lui-même et sur son rapport à la société, il le fait dans des termes si peu étrangers aux notions de travail en équipe, conseils méthodologiques aux élèves, tutorat, qu'il en invente au contraire de nombreuses formes, et les systématise dans une pensée pédagogique spécifique comme objets de philosophie morale. C'est ainsi qu'en 1890, dix ans après cette date qu'on nous cite et qu'on nous présente comme un moment fondateur, la faculté des lettres de Paris ouvre par exemple des conférences de pédagogie pratique et en confie la charge à Henri Marion [16]. Or que lit-on dans ces conférences ? Presque tous les thèmes qui font la substance du rapport Legrand. Que l'enseignement secondaire ne saurait être aussi purement formel et esthétique qu'il plaît à quelques-uns de le rêver. Qu'on peut

_____

16. Voir H. Marion, *L'Education dans l'Université*.

atteindre les fins de l'éducation en remplaçant les vers latins, tous les contenus convenus et exercices factices, par des objets réels et utiles pour la vie, par un travail qui « porte sur le vif des choses ». Que l'enseignement ne doit pas se borner à l'instruction. Il faut former les enfants à la responsabilité. Les exercer au « self-government ». Leur apprendre à gérer leur temps, à organiser leur travail. Que ces tâches supposent enfin que les maîtres se concertent, « d'un concert exprès et voulu, plus vivant que celui que peuvent établir les meilleurs programmes », qu'ils acceptent des tâches de tutorat, et admettent une répartition équitable du service. A prendre au pied de la lettre l'histoire imaginaire récitée par le rapport Legrand, on arriverait à des résultats franchement comiques : *les propositions pédagogiques dont il espère qu'elles adaptent les collèges à un public devenu majoritairement populaire — comme la prise en compte de la vie active, l'animation de la collectivité scolaire, la concertation des équipes, le tutorat — sont celles-là mêmes qu'on mettait en avant un siècle plus tôt pour former d'une manière spécifique les cadres de la bourgeoisie !*

Il faudrait se demander quelle étrange histoire nous font entendre ceux qui s'émerveillent de redécouvrir aujourd'hui la question durkheimienne de la conjonction de l'école et de la société ; quelle séduction exerce sur les spécialistes de la pédagogie cette sociologie de l'école. Une chose à cet égard mérite au moins d'être observée, dans les applications qui seront faites du rapport Legrand, ou dans d'autres contextes. Cette sociologie qui atteint l'image du professeur et celle de ses élèves issus des milieux populaires dans leur différence culturelle réciproque est propre à assurer l'avenir d'une certaine recherche pédagogique : celle qui, largement accueillante aux spécialistes du savoir social mais aussi aux formateurs d'enseignants et aux inspecteurs, *redécouvrira* perpétuellement l'origine de l'inégalité scolaire : les pratiques surannées, routinières et élitistes des enseignants [17]. Le savoir pédagogique n'existe, en effet, que pour autant qu'il faut y arracher indéfiniment les enseignants [17]. Seulement, à l'âge socialiste, la routine et la tradition relèvent des analyses de la distinction.

On sait aussi ce que vaut pratiquement cet arrachement des enseignants à la routine. S'il agite en permanence le monde des chercheurs, règle le système de leurs promotions, remplit des

---

17. Sur ce point, voir encore J.-C. POMPOUGNAC, art. cit.

thèses de doctorat, justifie la publication de livres, il laisse le
monde scolaire à un état relativement égal à lui-même, qui justifie déjà le prochain surcroît d'agitation. Et à vrai dire on
connaît déjà aussi le résultat des propositions du rapport
Legrand. Cet enseignement concret, qui multiplie les projets et
les sorties, qui alterne les moments d'instruction et des moments
pour d'autres relations plus informelles et plus individuelles, qui
sait se détourner des programmes et se préoccuper davantage
d'orientation et même d'insertion dans le monde du travail, etc.,
existe déjà. C'est précisément celui des classes de perfectionne-
ment et d'enseignement spécialisé. Il s'agit effectivement de la
pédagogie avec laquelle les maîtres qui enseignent aux élèves des
milieux les plus populaires tâtonnent. Mais il serait plus hon-
nête de dire que c'est ainsi que maîtres et élèves survivent, se
supportent dans les collèges, avec le sentiment réciproque d'un
échec. Plutôt que d'y voir une forme populaire du savoir et
l'avenir des collèges démocratiques.

Stéphane DOUAILLER

« Un dangereux anachronisme[1] »
Questions sur l'analyse de la reproduction du sexisme

La dénonciation du sexisme de l'école s'est affirmée en 1974 lorsque parut en France la traduction d'un livre italien, *Du côté des petites filles*, d'Elena G. Belotti. Ce livre, dont le succès fut important non seulement dans le milieu féministe mais auprès des éducateurs, parents et professeurs, suscita cependant certaines réticences. C'est ainsi que trois professeurs d'école normale d'institutrices perçurent, à travers cette mise à jour du sexisme, une accentuation de l'oppression féminine plus qu'une stratégie de libération[2]. Nous faisions alors la critique de son analyse qui valorisait les normes masculines, identifiait ces normes à une énergie riche en agressivité, et naturalisait pour finir la différence des rôles sexuels, renforçant par là une représentation négative des femmes. Nous étions aussi un peu stupéfaites d'apprendre qu'à telle mère correspondrait telle fille, que l'institutrice collaborait à ce jeu mimétique, qu'en bref l'école et la

---

1. *JDI, Journal des instituteurs et institutrices*, édité par Fernand Nathan, mai 1982, p. 11.
2. Elena BELOTTI, *Du côté des petites filles*, Editions des Femmes, 1974 ; Geneviève FRAISSE, Josette VAUDAY, Martine GUILLIN, « Elle n'en est pas moins une femme », *Les Temps modernes*, n° spécial « Petites filles en éducation », mai 1976.

117

famille se donnaient la main pour produire chez la petite fille la reproduction de l'infériorité féminine. Et il est curieux de constater que son dernier livre, plus autobiographique, affirme la reproduction du « modèle connu » de mère à fille, bien que son histoire racontée s'inscrive en faux par rapport à cette obsession [3]. Mais ce qui compte, c'est l'évidence d'une relative répétition, de génération à génération, de l'oppression des femmes, et cette évidence prend la forme d'un constat réel. Alors l'analyse fait place à la conviction et le statut d'infériorité des femmes s'en trouve conforté plus que mis en cause.

Cette affirmation de la reproduction des inégalités entre hommes et femmes, entre filles et garçons, renvoie par l'atmosphère qui en émane, à ce qu'une sociologie récente propose du rapport entre les inégalités sociales et l'école. Depuis *Les Héritiers* et *La Reproduction*, Jean-Claude Passeron et Pierre Bourdieu ont mis à mal les certitudes d'une école porteuse d'égalité des chances telle que la IIIe République laïque l'avait proclamée. Ces analyses sociologiques ont tenté de montrer les mécanismes qui, à l'intérieur du système universitaire comme du système scolaire, opèrent pour reconduire les inégalités entre les classes sociales. C'est ce que P. Bourdieu appelle la « retraduction » des structures sociales dans les structures d'enseignement.

De la même façon, il paraît plausible de supposer un tel mouvement de reproduction de la différence des sexes et de leurs relations d'inégalité sociale dans l'ensemble du réseau éducatif. Cependant, hormis l'ouvrage polémique de Belotti et un rapport d'Andrée Michel [4] fondé sur cette hypothèse de la reproduction de l'inégalité entre les sexes, les études sociologiques et les recherches féministes se sont peu interrogées sur ce problème. Pierre Bourdieu lui-même, mais ses travaux cités ici sont antérieurs au mouvement féministe, ignore cette éventualité, bien que le problème affleure parfois sans innocence : dans *Les Héritiers*, l'inégalité des chances scolaires est de l'ordre du « léger désavantage » lorsqu'il s'agit du rapport entre filles et garçons, mais cela devient un désavantage « lourd de conséquences » si l'on observe l'origine sociale (p. 17-18). D'autre

---

3. Elena Gianini BELOTTI, *Les Femmes et les enfants d'abord*, Seuil, 1983, p. 65.

4. Andrée MICHEL (en collaboration avec Suzanne BÉREAUD et Marguerite LORÉE), *Inégalités professionnelles et socialisation différentielle des sexes*, Cordes/CNRS, 1975.

part, le milieu d'origine est sexuellement neutre, sauf à deux reprises où d'un côté il est fait état du père au titre de sa position dans la hiérarchie sociale (p. 40) et où de l'autre on montre une mère hors de toute activité sociale et professionnelle capable seulement de renforcer les difficultés scolaires de l'enfant par un jugement négatif (p. 109). Traitement différent donc pour le père et la mère, même s'il est ponctuel, à quoi fait écho ce qu'il est dit des étudiantes : elles restent fondamentalement soumises aux normes traditionnelles du rôle de la femme (p. 57, 70), comme s'il était exclu que l'école ou l'université produisent un quelconque effet, contraire à cette tradition. Plus même : cette soumission à la tradition semble toujours venir d'un ailleurs, totalement étranger à l'école. Mais alors : si ce n'est pas l'école qui reproduit l'apprentissage du rôle traditionnel, quel système éducatif s'en charge ? La famille ? Question que le lecteur ne sera plus incité à se poser dans *La Reproduction*. Car, si *Les Héritiers* laissent apparaître la reproduction des rôles sexuels, *La Reproduction* l'exclut et l'ignore, et par là même supprime le problème des inégalités entre les sexes. D'ailleurs, en dépit de toute la réalité sociologique d'aujourd'hui qui fait qu'un enseignant est de plus en plus souvent une enseignante, P. Bourdieu voit dans l'autorité pédagogique l'expression de la loi du père et appelle même Freud à la rescousse pour expliquer qu'un professeur est un « substitut paternel » (p. 34). Quoi qu'il en soit, il n'y a pas deux sexes qui apprennent ou qui enseignent et, si l'unique déterminant de *La Reproduction* est « la structure du rapport entre les classes », il est dommage que la variante « groupes ou classes » (qui surgit dès la page 33) ne soit pas explicitée. Il est cependant peu vraisemblable qu'il s'agisse des groupes des hommes et des femmes...

Ainsi on assiste à un curieux décalage : pendant que se perpétue un manque théorique à penser l'inégalité des sexes dans le rapport à l'école, manque que masque le texte de Belotti qui fait toujours et partout référence, l'idée de la reproduction, l'idée et non la démonstration, tient lieu de certitude pratique. Le gouvernement socialiste lui-même, en reprenant à son compte l'action entreprise par l'association « Pour une école non sexiste [5] », donne à cette idée une réalité et propose à la fois des axes d'analyse et des modalités de réforme. D'une part, un arrêté de juillet 1982 demande aux éducateurs de reconnaître

---

5. Association fondée par Catherine Valabrègue en 1980.

qu'ils « ont un rôle essentiel à jouer dans la lutte contre les préjugés sexistes » : rôle de critique et de prise de conscience à l'égard des mentalités et de toute discrimination, mais aussi rôle de valorisation et de reconnaissance des transformations positives de la vie des femmes. C'est, de la première à la dernière ligne, à la responsabilité des éducateurs qu'il est fait appel. D'autre part, c'est également le ministère des Droits de la femme qui, dans le cadre de la mission « Recherche en éducation et en socialisation de l'enfant » proposée par le ministère de la Recherche, insiste pour que « les inégalités et les différenciations liées au sexe constituent une dimension essentielle de la recherche ». A la question des inégalités (préjugés et discrimination) s'ajoute celle, plus ouverte, de la différence entre les sexes et des différences d'éducation qu'il faut mesurer au niveau réel du travail professionnel ou de la maternité ou au niveau symbolique de la représentation de cette différence.

De ces exigences et mises en garde ministérielles, on peut retenir la sensibilité à un problème, mais aussi l'urgence d'une confrontation entre la question théorique et la volonté de réforme, à la fois précise et globale.

Lutte contre le sexisme et critique des manuels scolaires

Dans les quelques travaux consacrés à la critique du sexisme à l'école, une large place est faite à l'étude des « images » proposées aux enfants, images qui véhiculent les pires stéréotypes féminins et dont les meilleures expressions se trouvent dans les manuels scolaires. En effet, le manuel scolaire est un objet privilégié car il est à la fois support d'une critique et moyen d'une réforme. Il apparaît donc facilement comme l'objet idéal pour une dénonciation du sexisme : d'un côté, il représente une image fixe, celle de la femme, mère-au-foyer-qui-ne-travaille-pas, image qui par sa permanence et sa simplicité est une expression claire de la ténacité du sexisme dans une société qui prétend reconnaître l'égalité entre les sexes ; de l'autre, il est une réalité très concrète puisque c'est un outil de travail, rouage important de l'apprentissage scolaire grâce auquel tout enfant apprend à lire et à compter. L'important ici c'est qu'avec un savoir scolaire s'introduisent des représentations de rôles sexuels qui n'ont rien à voir avec l'école, représentations du couple, de la famille, de la vie sociale.

120

Isoler la question du manuel semble relever d'une question méthodologique : étant donné le sexisme dont fait preuve la société dans son ensemble et le réseau éducatif et scolaire en particulier, l'objet concret et tangible qu'est le manuel scolaire permet de soulever l'ensemble du problème. En étant l'expression de l'existence et de la permanence du sexisme, il suscite pour la réflexion un double mouvement : il est en effet soit exemple privilégié, soit révélateur du sexisme. Pour Catherine Valabrègue, qui anime l'association *Pour une école non sexiste,* la critique des manuels *révèle* l'ampleur et la gravité du problème et définit ainsi l'*étape première* et prioritaire de la lutte contre le sexisme. Mouvement du particulier au général qui est celui du passage d'une lutte précise à une prise de conscience globale, mais qui peut s'inverser en une volonté de combattre le sexisme dans sa totalité à travers un de ses symptômes, les livres scolaires : ainsi Yvette Roudy, dans le journal de cette association[6], soutient cette lutte, pour elle exemplaire, car l'origine de tout sexisme remonte à la petite enfance... mouvement cette fois-ci du général au particulier. Mouvement méthodologique dans les deux cas, qui a l'avantage de s'enraciner dans une réalité concrète pour qu'il soit possible de voir comment le processus de reproduction fonctionne.

C'est ce qui permet de mettre à l'épreuve cette thèse sous la forme de quelques difficultés. Nous disions qu'une telle critique ne va pas sans exigence immédiate de réforme. En effet, cette critique est de l'ordre de la *dénonciation* à la fois d'un anachronisme et d'une injustice. Cette dénonciation a un caractère d'évidence qui appelle en réponse des choix militants de type « réactifs » : il faut soit rétablir la vérité, soit proposer un nouveau modèle. Refaire les manuels scolaires, c'est montrer par exemple qu'aujourd'hui la femme travaille hors de chez elle, et pas seulement, image mythique, comme hôtesse de l'air ; c'est signifier qu'elle n'est pas seulement épouse et mère. La maison d'édition Fernand Nathan, sous l'impulsion de l'association *Pour une école non sexiste,* rédigeait en 1980 un texte, destiné aux auteurs et illustrateurs de manuels scolaires, qui indiquait trois domaines où la réalité n'était pas respectée : dans le champ des activités socio-professionnelles, dans la présentation de la « vie » et de la « famille », dans les portraits physiques, psycho-

---

6. *Pour une école non sexiste*, 14 rue Cassette, Paris, 1982.

logiques et... moraux des personnages. Ce rétablissement de la réalité-vérité nous semble être de l'ordre de la *réparation*.

Inversement, il peut s'agir de montrer de nouvelles images comme celle d'un égal partage des tâches domestiques ou celle de petites filles combatives et conquérantes. Dans ce cas, c'est faire d'une réalité minoritaire une représentation idéale qui est de l'ordre de la *valorisation*. Mais laquelle ? Car, si l'on sait que le sexisme c'est l'affirmation de l'inégalité entre les sexes et que son origine tient précisément à l'existence de deux sexes distincts, c'est-à-dire à leur différence, on doit réfléchir à ce que cette valorisation signifie : assimilation au monde masculin, à ses normes et à ses images, ou affirmation d'une spécificité féminine dont on voit mal les caractéristiques. Ainsi dans la littérature enfantine, compagne habituelle du manuel scolaire, il paraît difficile de ne pas remplacer un schéma par un autre : à petite fille avec poupée succède le garçon manqué. Démarche volontariste qui n'échappe pas à son retournement : la petite fille turbulente pourrait bien être une chipie et exprimer par là à nouveau une image négative du sexe féminin. A s'enfermer dans les images, image réaliste de la femme d'aujourd'hui ou image idéale de la nouvelle petite fille, on risque de ne pas appréhender la cause même du sexisme, celle qui fait de la différence des sexes un problème de rapports de domination.

Nous disions que le manuel scolaire est un bon outil pour analyser le sexisme ; néanmoins, il peut aussi fonctionner comme un écran pour la compréhension des mécanismes scolaires qui contribuent à la perpétuation du sexisme. En effet, le manuel est en général isolé comme si c'était un objet en soi, qui aurait une existence indépendante de l'utilisation qui en est faite. Que font du manuel l'enfant, le parent, l'enseignant(e) ? L'enfant compare nécessairement ce qu'il voit dans les livres et ce qu'il constate dans la vie ; jeu de va-et-vient qui ne fonctionne certainement pas dans le seul sens de l'imposition de la norme livresque, constat fréquent d'une différence entre l'image et la réalité soit parce que les femmes autour de lui, et sa mère en particulier, travaillent, soit parce que sa vie familiale n'est pas celle de la cellule type... L'enfant n'est sûrement pas heureux de ces comparaisons ; néanmoins, il paraît difficile d'affirmer que le stéréotype est a priori plus fort que le réel, et il semble possible au contraire d'utiliser cette contradiction pour ébaucher une critique sociale. Est-ce cela que fait le parent ou l'enseignant(e) ? De façon minoritaire sans doute. Mais dans tous les cas l'utilisateur adulte du manuel n'est pas une personne neutre, car ses comportements dans la vie ou ses éventuels commentaires inscrivent les propos du livre dans un réseau de significations et dans un jeu de normes « sexuelles » beaucoup plus larges. A trop isoler le manuel, on risque de lui accorder l'importance qu'il n'a pas ; on croit aussi maîtriser un outil pédagogique, le livre, dont on sait pourtant qu'il agit bien au-delà du champ scolaire. Si l'enfant ne doit plus voir Papa fumer sa pipe pendant que Maman prépare le dîner, doit-il pour autant cesser de lire Baudelaire ou Stendhal, c'est-à-dire s'arrêter au contenu d'une œuvre hors de tout plaisir de la forme et privilégier ainsi l'image pédagogique banalisée plus qu'une représentation esthétique complexe ? Et, s'il est évident que la lutte contre le sexisme ne gagnera rien à utiliser la censure (outre que cette censure est impossible), la question reste entière : quel est le pouvoir de l'image et de la représentation ?

Le rôle et la réalité

On peut passer de la critique du stéréotype à l'expérimentation individuelle. C'est ce que fait Danielle Flamant-Paparatti avec sa fille dont elle raconte les premières années dans *Emmanuelle ou l'enfance au féminin*[7]. A tenir le journal, de deux à six ans, de cette petite fille qu'elle veut éduquer autrement, elle est réticente à toute position de dénonciation, celle d'Elena Belotti, ou celle, plus nuancée, de Madeleine Laïk[8]. Elle se situe du côté de l'expérience positive, même si son témoignage n'ose affirmer de nouvelles valeurs et note seulement qu'après l'inversion des valeurs, la masculinisation des filles, les expériences se perdent un peu dans des choix de type matriarcal (p. 167). E. Belotti, dans la préface à ce livre, reconnaît que ce récit a un « caractère emblématique », qu'il est l'expression d'une « étape intermédiaire », où se jouent en même temps une recherche de parité avec le garçon et une imprécision volontaire relativement à la différence des sexes. A quoi fait écho la conclusion d'une étude sur la nouvelle littérature enfantine : les petites filles des albums parus récemment expriment une

---

7. Danielle et Emmanuelle FLAMANT-PAPARATTI, *Emmanuelle ou l'enfance au féminin*, Denoël-Gonthier, 1979, p. 150.
8. Madeleine LAÏK, *Fille ou garçon*, Denoël-Gonthier, 1976.

évolution des comportements, perdant leur féminité sans retrouver encore d'identité[9]. L'éducation familiale serait-elle plus sensible au changement que l'école ?

Cependant, ces discours qui privilégient l'innovation contre la tradition, discours tenus du point de vue de l'éducation familiale, résonnent curieusement : ni les tentatives de parité entre filles et garçons ni l'épouvantail de la masculinisation des filles ne sont des choses vraiment nouvelles. Ce qui l'est, c'est, à notre avis, l'idée que ce n'est pas l'école qui peut lutter contre l'apprentissage et l'intériorisation du sexisme par les enfants ; qu'au contraire même elle favorise l'inculcation du sexisme. C'est ce que sous-entend Annie Decroux-Masson lorsqu'elle remarque que sa fille, contrairement à toute réalité, prétend que c'est sa mère et non son père qui fait la cuisine[10]. L'école serait alors, dit-elle, une référence plus forte que les parents eux-mêmes. Et se trouverait par là confortée la thèse de la reproduction du sexisme par l'école.

Inversement, et curieusement, les quelques notations de Pierre Bourdieu sur cette reproduction d'une inégalité entre les sexes ne suggèrent pas que c'est à l'école qu'incombe la responsabilité de cette transmission. *Les Héritiers* laissent plutôt entendre que cela se passe et se joue ailleurs, en particulier dans la famille. En fait, il semble que la critique de la certitude d'une école démocratique laisse néanmoins se perpétuer l'idée que l'institution scolaire est encore un lieu neutre à l'égard de l'égalisation des chances entre les sexes. Croyance tenace exprimée récemment encore par Francine Best dans l'avant-propos d'un catalogue d'exposition[11], que l'école est là pour faire cesser l'inégalité entre les sexes comme on disait auparavant qu'elle effaçait les inégalités entre les classes.

Qui donc lutte contre le sexisme ou, plutôt, qui apprend le sexisme aux enfants ? Est-ce l'école, ou est-ce la famille ? La balle se renvoie facilement d'un camp à l'autre, la famille accusant l'école ou réciproquement. Ainsi on insiste soit sur la réussite indubitable des filles à l'école[12], soit sur leur absence du cursus scientifique ou l'interruption de leurs études. Débat intéressant du point de vue du problème de la reproduction, car il

---

9. *Trousse-livres*, n° 25, sept. 1981, p. 2.
10. Annie DECROUX-MASSON, *Papa lit, maman coud*, Denoël-Gonthier, 1979.
11. *L'Education des jeunes filles il y a cent ans*, Musée national de l'éducation, Rouen, 1983, p. 5-6.
12. *Populations et sociétés*, oct. 1981.

pose la question de la cause, ou encore : s'agit-il de la reproduction ou tout simplement de la production des inégalités ?
En effet, si nous vivons dans une société patriarcale, le sexisme
est un système en soi [13], structuré par cette société, et l'école le
perpétue tout autant qu'elle le suscite — et de même la famille.
Et si ce sexisme perdure, même s'il est malmené par des luttes
politiques, c'est à chaque endroit de la société qu'on en trouvera l'effet et la cause.

C'est pourquoi Andrée Michel, dans le rapport *Inégalités professionnelles et socialisation différentielle des sexes* [14], met
d'emblée du même côté les institutions familiales et scolaires
pour analyser la reproduction et en particulier la « reproduction du système de stratification sexuelle ». Ainsi cette étude
utilise le concept de reproduction et l'emprunte à la sociologie
de P. Bourdieu dans le cadre d'une interrogation féministe ;
néanmoins, c'est une filiation contradictoire, puisqu'il est dit
que l'analyse du conflit de classe a freiné l'analyse du conflit
de sexe. De plus, au lieu de ne voir, pour confirmer l'hypothèse
de la reproduction, dans le « rapport de communication pédagogique » qu'imposition et inculcation d'un arbitraire culturel [15], il faut identifier un double niveau de mécanismes : celui
des processus d'inculcation des stéréotypes et celui de leurs
modes d'acquisition par l'enfant. Cela signifie, et c'est important par rapport à la thèse de la reproduction, qu'il est exclu
de voir l'individu « comme un être passif soumis aux agents
chargés de sa socialisation ». Ces agents, d'ailleurs, sont multiples et ne peuvent se réduire à la famille et à l'école. Andrée
Michel souligne également l'importance des groupes de pairs de
l'enfant, des mass média et de la publicité... Ainsi elle évite non
seulement l'opposition entre l'école et la famille, mais simplement tout particularisme, pour donner à voir la complexité du
réseau où s'étend le sexisme. On comprend mieux alors que, par
exemple, l'école puisse être perçue soit comme lieu d'égalisation des chances, soit comme bastion de la tradition. Les deux
sont possibles parce que les deux sont vrais : pour certaines filles, c'est la famille qui va les contraindre ou les libérer face à
un rôle futur, pour d'autres l'école sera un facteur déterminant.

---

13. Liliane KANDEL, « Le sexisme comme réalité et comme représentation », *Les
Temps modernes*, n° 444, juil. 1983.
14. *Op. cit.*, p. IX.
15. P. BOURDIEU, *La Reproduction*, p. 20.

Ou encore l'enfant conclura lui-même dans le jeu contradictoire entre l'image de sa mère, celle du manuel et celle de l'institutrice. Ou bien même la comparaison entre frère et sœur de leur égalité scolaire et de leur inégalité familiale ne donne pas toujours les mêmes résultats... En bref, le système a des « failles », pour reprendre un terme d'Andrée Michel, et ce sont ces failles, positives ou négatives, qui sont au cœur même de l'analyse de la reproduction. C'est ainsi que les stéréotypes évoluent. D'après les enquêtes de Suzanne Béreaud et de Marguerite Lorée utilisées dans l'étude d'Andrée Michel, les filles sont finalement les plus souples quant aux stéréotypes propres à leur sexe et les garçons les plus rigides ; même si pour finir cet anticonformisme féminin se solde moins par un refus du rôle traditionnel des femmes que par une addition des tâches anciennes aux nouvelles activités choisies. En clair, elles joignent à la représentation de leur rôle d'épouse et de mère celui de travailleuse ou de femme indépendante. Mais, si cette représentation est le résultat des processus éducatifs, elle n'en est jamais le véritable objectif. Fait-on d'ailleurs une éducation à partir de l'image d'un rôle ? Sans doute, les discours normatifs qui entourent l'éducation des filles depuis des siècles portent à le croire. Pourtant, le problème du rôle féminin, d'une image chargée à la fois de stéréotypes et de préjugés, d'une image et d'un modèle, ne peut se poser dans l'abstraction qui caractérise fréquemment la critique des manuels scolaires. Abstraction qui consiste à parler de rôle féminin sans référence à un éventuel rôle masculin, à ne pas distinguer là où il y a égalité, sociale en particulier, des sexes et là où il y a différence, à ne pas analyser la domination d'un sexe sur l'autre, c'est-à-dire leur *rapport*. Différence des sexes et rapports de domination ne se mettent pas facilement en image, mais ils se disent et se parlent. Si l'image est le support de la reproduction, qui la propose et la commente par le geste et le langage ?

Qui sont les reproducteurs ?

Si pour Pierre Bourdieu le rapport de communication pédagogique est bien plus qu'un rapport de communication et s'il est pour finir imposition et inculcation d'un arbitraire culturel, ce qui s'échange reste néanmoins de l'ordre de la forme d'un savoir qui assigne par là à chacun une façon d'être. Avec le sexisme, l'apprentissage d'un rôle est directement lié à une figuration des rôles, images livresques ou vivantes. Ce sont les mécanismes d'identification que dénoncent les critiques à l'égard du sexisme à l'école ; or cette identification ne se fait pas de l'objet à l'enfant sans qu'intervienne un intermédiaire, « agent » d'éducation. Qui est l'agent en matière d'apprentissage du rôle (ou de l'identité peut-être ?) sexuel ? L'instituteur, l'institutrice (tel ou telle d'ailleurs au gré des années), le père, la mère, le frère ou la sœur ? C'est une constellation variable pour chaque individu qui se forme, mais quelle place les analyses font-elles à cet élément de la reproduction ? Chez P. Bourdieu, la situation de l'agent se cache derrière le concept d'autorité, chez E. Belotti au contraire toute l'analyse tourne autour d'une question de personnes, la mère et l'institutrice. Personnes qui transmettent ou qu'on imite au niveau des stéréotypes qu'elles véhiculent. Est-ce par là que se fait la reproduction ? Nous critiquions, dans *Du côté des petites filles*, l'utilisation de cette notion d'identification qui se réduisait à un jeu mimétique. Mais on ne peut se contenter de résoudre la question en parlant, comme P. Bourdieu, de la « violence symbolique » exercée par les agents de l'éducation. Plus intéressante nous paraît être la thèse de Suzanne Mollo qui privilégie la notion de modèle pour inclure aussi bien le simple niveau de l'imitation que l'efficace du symbolique. Mais ce modèle dont elle affirme qu'il est « le maillon de la communication pédagogique » n'est pas nécessairement voué à la reproduction [16]. En effet, elle insiste sur le retard et le décalage de toute transmission culturelle, sur l'inévitable pesanteur de l'école, véritable « musée des valeurs », et sur la raideur des agents de l'éducation, les plus réfractaires, pour finir, à transmettre le changement. Le rapport entre le modèle et son inadéquation pour l'enfant au moment même où il s'exerce définit peut-être le champ où se joue la reproduction.

Reste que le modèle n'est pas l'agent et que les agents sont des êtres sexués. Et, de la même façon que l'identification apparaît surtout comme un problème lorsque menace la répétition du rôle traditionnel féminin, la femme mère ou institutrice est spécialement mise en cause et suspectée d'être un agent négatif. Cette négativité peut se lire et se comprendre de deux manières : E. Belotti accepte le discours misogyne qui fait de la femme éducatrice une coupable, la responsable de la transmission de

---

16. Suzanne MOLLO, *L'Ecole dans la société*, Dunod, 1970.

l'oppression, Monique Plaza dénonce le « soupçon qui pèse sur la Mère et sur les mères » (dans le champ psychanalytique en l'occurrence) et en un sens les excuse [17]. Dans les deux cas, envers l'un de l'autre, apparaît la place jusqu'ici incontournable des femmes dans l'ensemble du système éducatif. On ne s'étonne pas alors que quiconque néglige la question de l'agent néglige aussi celle du sexe de l'agent : ce serait désigner l'oppression des femmes, et mieux vaut que cela reste une tache aveugle.

Mais, si la question du sexisme dans l'éducation doit se poser aussi à travers l'analyse de la place des femmes, à l'école et dans la famille, dans le système même de la reproduction, il faut savoir quel intérêt ont les femmes à perpétuer leur oppression. Car, dans l'hypothèse où l'agent participe à la reproduction sociale, ce n'est pas lui ou ses enfants qui y perdent. Dans l'hypothèse d'une reproduction sexuelle, les femmes seraient les premières complices et les premières victimes. Question du pouvoir des dominés qu'il est toujours difficile d'appréhender mais qui explique peut-être l'indifférence apparente du féminisme et des féministes pour les problèmes d'éducation — ou même de maternité. Indifférence théorique que masque mal la réalité d'une certaine pratique militante.

Geneviève FRAISSE

---

17. Monique PLAZA, « La Même Mère », *Questions féministes*, n° 7, fév. 1980.

IV

Philosophies du social

« Une expérience prolongée de sociologie »

Dans son Fragment d'Histoire future, *publié en 1896 par la* Revue internationale de sociologie, *Gabriel de Tarde a transcrit sous forme d'utopie le choix fondamental qui a fait de lui l'antagoniste de la sociologie durkheimienne : les phénomènes sociaux ne sont pas des phénomènes de coercition mais d'invention et d'imitation. Ou encore : la société n'est pas un échange de services mais un échange de reflets.*

Cette thèse est appelée à produire sa vérification expérimentale après la grande catastrophe du refroidissement du soleil survenue à la fin du XXVᵉ siècle de la préhistoire humaine, plus connue sous le nom d'ère chrétienne. Menacés d'anéantissement, les derniers survivants d'une humanité que le poêle gouvernemental n'a pu sauver de la congélation ont suivi les conseils du navigateur Miltiade. Ils ont abandonné la surface du globe et le soleil trompeur pour s'enfoncer dans les profondeurs de la terre. Là, logés dans des galeries éclairées et chauffées par les foyers disséminés du feu intérieur, désaltérés par la glace fondue et nourris par les restes congelés des espèces animales et les ressources de la chimie, ils expérimentent enfin la pure nature du lien social : la vie esthétique.

Il n'entre pas dans le cadre de mon rapide exposé de raconter date par date les péripéties laborieuses de l'humanité dans son installation intraplanétaire, depuis l'an 1 de l'ère du Salut jusqu'à l'an 596 où j'écris ces lignes à la craie sur des lames schisteuses. Je voudrais seulement mettre en relief, pour mes contemporains qui pourraient ne pas les remarquer (car on ne regarde guère ce qu'on voit toujours), les traits distinctifs, originaux, de cette civilisation moderne dont nous sommes si justement fiers. Maintenant qu'après bien des essais avortés, bien des convulsions douloureuses, elle est parvenue à se constituer définitivement, on peut dégager avec netteté son caractère essentiel. Il consiste dans *l'élimination complète de la Nature vivante*, soit animale, soit végétale, l'homme seul excepté. De là, pour ainsi dire, une purification de la société. Soustrait de la sorte à toute influence du milieu naturel où il était jusque-là plongé et contraint, le milieu social a pu révéler et déployer pour la première fois sa vertu propre, et le véritable lien social apparaître dans toute sa force, dans toute sa pureté. On dirait que la destinée a voulu faire sur nous, pour son instruction, en nous plaçant dans des conditions si singulières [1], une expérience prolongée de sociologie. Il s'agissait en quelque sorte de savoir ce que deviendrait l'homme social livré à lui-même, mais abandonné à lui seul — pourvu de toutes les acquisitions intellectuelles accumulées par un long passé de génies humains, mais privé du secours de tous les autres êtres vivants, voire même de tous ces êtres demi-vivants appelés les rivières et les mers, ou appelés les astres, et réduit aux forces domptées mais passives de la nature chimique, inorganique, inanimée, qui est séparée de l'homme par un abîme trop profond pour exercer sur lui, socialement, une action quelconque. Il s'agissait de savoir ce que ferait cette humanité tout humaine, obligée de tirer sinon ses ressources alimentaires, au moins tous ses plaisirs, toutes ses occupations, toutes ses inspirations créatrices, de son propre fonds. La réponse est faite, et l'on a appris en même temps de quel poids inaperçu pesaient auparavant la faune et la flore terrestres sur le progrès entravé de l'humanité.

D'abord, l'orgueil humain, la foi de l'homme en soi, contenus auparavant par la pression constante, par le sentiment

---

1. En apparence seulement ; on n'oubliera pas que, d'après toutes les probabilités, beaucoup d'astres éteints ont dû servir de théâtre à cette phase normale et nécessaire de la vie sociale.

profond de la supériorité des puissances qui l'enveloppaient, se sont redressés, il faut l'avouer, avec une force effrayante d'élasticité. Nous sommes un peuple de Titans. Mais, en même temps, ce qu'il aurait pu y avoir d'énervant dans l'air de nos grottes (le plus pur d'ailleurs qui ait jamais été respiré, tous les germes pernicieux dont l'atmosphère était remplie ayant été tués par le froid) a été combattu par là avec avantage. Loin d'être atteints par cette anémie que certains prédisaient, nous vivons dans un état de surexcitation habituelle qu'entretient la multiplicité de nos relations et de nos *toniques sociaux* (poignées de mains d'amis, causeries, rencontres de femmes charmantes, etc.), et qui, chez nombre d'entre nous, passe à l'état de frénésie continue, sous le nom de fièvre troglodytique. Cette maladie nouvelle, dont le microbe n'a pas encore été découvert, était inconnue de nos aïeux, grâce peut-être à l'influence stupéfiante (ou pacifiante, comme on voudra) des distractions naturelles et rurales.

Rurales ! voilà un archaïsme étrange. Des pêcheurs, des chasseurs, des laboureurs, des pâtres : comprend-on bien maintenant le sens de ces mots ? A-t-on un instant réfléchi à la vie de cet être fossile dont il est si souvent question dans les livres d'histoire ancienne et qu'on appelait *le paysan* ? La société habituelle de cet être bizarre, qui composait la moitié ou les trois quarts de la population, ce n'étaient point des hommes, c'étaient des quadrupèdes, des légumes ou des graminées qui, par les exigences de leur culture, à la *campagne* (autre mot devenu inintelligible), le condamnaient à vivre inculte, isolé, éloigné de ses semblables. Ses troupeaux, eux, connaissaient les douceurs de la vie sociale : mais lui n'en avait pas même la moindre idée.

Les villes — où l'on s'étonnait qu'il eût du penchant à émigrer ! — étaient les seuls points fort rares et fort disséminés où la vie de société fût alors connue. Mais à quelles doses ne s'y montrait-elle pas mélangée, étendue de vie bestiale ou de vie végétative ! Un autre fossile particulier à ces régions, c'est l'*ouvrier*. Le rapport de l'ouvrier à son patron, de la classe ouvrière aux autres classes de la population, et de ces classes entre elles, était-ce un rapport vraiment social ? Pas le moins du monde. Des sophistes qu'on appelait économistes, et qui étaient à nos sociologues actuels ce que les alchimistes ont été jadis aux chimistes, ou les astrologues aux astronomes, avaient accrédité, il est vrai, cette erreur que la société consiste essentiellement dans un échange de services ; à ce point de vue, tout à fait démodé du reste, le lien social ne serait jamais plus étroit qu'entre l'âne et l'ânier, le bœuf et le bouvier, le mouton et la bergère. La société, nous le savons maintenant, consiste dans un échange de reflets. Se singer mutuellement, et, à force de singeries accumulées, différemment combinées, se faire une originalité : voilà le principal. Se servir réciproquement n'est que l'accessoire. C'est pourquoi la vie urbaine d'autrefois, fondée principalement sur le rapport, plutôt organique et naturel que social, du producteur au consommateur ou de l'ouvrier au patron, n'était elle-même qu'une vie sociale très impure, source de discordes sans fin.

S'il nous a été possible, à nous, de réaliser la vie sociale la plus pure et la plus intense qui se soit jamais vue, c'est grâce à la simplification extrême de nos besoins proprement dits. Quand l'homme était *panivore* et omnivore, le besoin de manger se ramifiait en une infinité de petites branches ; aujourd'hui, il se borne à manger de la viande conservée par le meilleur des appareils réfrigérants. En une heure de temps, chaque matin, par l'emploi de nos ingénieuses machines de transport, un seul sociétaire en nourrit mille. Le besoin de se vêtir a été à peu près supprimé par la douceur d'une température toujours égale, et, il faut l'avouer aussi, par l'absence de vers à soie et de plantes textiles. Ce serait peut-être un inconvénient sans l'incomparable beauté de nos formes, qui prête un charme réel à cette grande simplicité de tenue. Observons, toutefois, qu'il est assez d'usage de porter des cottes de mailles en amiante pailletée de mica, en argent tissé et rehaussé d'or où semblent coulées en métal, plutôt que voilées, les grâces fines et délicates de nos femmes. Ce chatoiement métallique, infiniment nuancé, est d'un effet délicieux. Mais ce sont là des toilettes inusables. Que de marchands drapiers, que de modistes, que de tailleurs, que de magasins de nouveautés annihilés du coup ! Le besoin du logement subsiste, il est vrai, mais extrêmement amoindri : on n'est plus exposé, maintenant, à coucher à la belle étoile... Quand un jeune homme, las de la vie en commun qui lui a suffi jusque-là dans le grand atelier-salon de ses pareils, désire, pour des raisons de cœur, avoir une maison à soi, il n'a qu'à appliquer quelque part, contre la paroi du rocher, la tarière perforatrice, et, en quelques jours, sa cellule est creusée. Point de loyer et peu de meubles. Le mobilier collectif, qui est splendide, est presque le seul dont les amoureux eux-mêmes fassent usage.

La part du nécessaire se réduisant à presque rien, la part du superflu a pu s'étendre à presque tout. Quand on vit de si peu, il reste beaucoup de temps pour penser. Un minimum de travail utilitaire et un maximum de travail esthétique : n'est-ce pas la civilisation même en ce qu'elle a de plus essentiel ? La place que les besoins retranchés ont laissée vide dans le cœur, les talents la prennent, talents artistiques, poétiques, scientifiques, chaque jour multipliés et enracinés, devenus de véritables besoins acquis, mais *besoins de production plutôt que de consommation.* Je souligne cette différence. L'industriel travaillant toujours, non pour son plaisir, ni pour celui de son monde à lui, de ses congénères, de ses concurrents naturels, mais pour une société différente de la sienne — à charge de réciprocité, n'importe —, son travail constitue un rapport non social, presque antisocial avec ses dissemblables, au grand détriment de ses rapports entravés avec ses semblables ; et l'activité croissante de son travail tend à accroître, non à atténuer, la dissemblance des sociétés différentes, obstacle à leur association générale. On l'a bien vu, au cours du xxᵉ siècle de l'ère ancienne, quand toute la population s'est trouvée divisée en syndicats ouvriers de diverses professions, qui se faisaient entre eux une guerre acharnée, et dont les membres, dans le sein de chacun d'eux, se haïssaient fraternellement.

Mais, pour le théoricien, pour l'artiste, pour l'*esthéticien* dans tous les genres, produire est une passion, consommer n'est qu'un goût. Car tout artiste est doublé d'un dilettante ; mais son dilettantisme, relatif aux arts autres que le sien, ne joue dans sa vie qu'un rôle secondaire comparé à son rôle spécial. L'artiste crée par plaisir, et seul il crée de la sorte.

On comprend donc la profondeur de la révolution vraiment sociale, celle-là, qui s'est opérée, depuis que, l'activité esthétique, à force de grandir, finissant un jour par l'emporter sur l'activité utilitaire, à la relation du producteur au consommateur s'est substituée désormais, comme élément prépondérant des rapports humains, la relation de l'artiste au connaisseur. S'amuser ou se satisfaire chacun à part, et se servir les uns les autres, était l'ancien idéal social, auquel nous, nous substituons celui-ci : se servir soi-même et s'entre-charmer mutuellement. Ce n'est plus, dès lors, sur l'échange des services encore une fois, c'est sur l'échange des admirations ou des critiques, des jugements favorables ou sévères, que la société repose. Au régime anarchique des convoitises a succédé le gouvernement autocratique de l'opinion, devenu omnipotent. Car ils s'abusaient fort, nos bons aïeux, en se persuadant que le progrès social tendait à ce qu'ils appelaient la liberté de l'esprit. Nous avons mieux, nous avons la joie et la force de l'esprit qui possède une certitude, fondée sur sa seule base solide, sur l'unanimité des esprits en quelques points essentiels. Sur ce rocher-là, on peut bâtir les plus hauts édifices d'idées, les sommes philosophiques les plus gigantesques.

L'erreur, reconnue à présent, des anciens visionnaires appelés socialistes, était de ne pas voir que cette vie en commun, cette vie sociale intense, ardemment rêvée par eux, avait pour condition *sine qua non* la vie esthétique, la religion partout propagée du beau et du vrai ; mais que celle-ci suppose le retranchement sévère de force besoins corporels ; et que, par suite, en poussant, comme ils le faisaient, au développement exagéré de la vie mercantile, ils allaient au rebours de leur but. Il aurait fallu commencer, je le sais, par extirper cette fatale habitude de manger du pain, qui asservissait l'homme aux exigences tyranniques d'une plante, et des bestiaux que réclamait la fumure de cette plante, et des autres plantes qui servaient d'aliment à ces bestiaux... Mais, tant que ce malheureux besoin sévissait et qu'on renonçait à le combattre, il fallait s'abstenir d'en susciter d'autres non moins antisociaux, c'est-à-dire non moins naturels, et il valait encore mieux laisser les gens à la charrue que de les attirer à la fabrique, car la dispersion et l'isolement des égoïsmes sont encore préférables à leur rapprochement et à leur conflit. Mais passons.

On voit tous les avantages dont nous sommes redevables à notre situation contre nature. Ce que la vie sociale a de plus exquis et de plus substantiel, de plus fort et de plus doux, nous seuls l'avons su. Jadis on avait bien eu, çà et là, dans quelques rares oasis au milieu des déserts, un pressentiment lointain de cette chose ineffable : trois ou quatre salons du XVIIIe siècle (vieux style), deux ou trois ateliers de peintres, un ou deux foyers d'acteurs. C'étaient là, en quelque sorte, d'imperceptibles noyaux de protoplasme social perdus dans un amas de matières étrangères. Mais cette moelle est devenue tout l'os à présent. Nos cités tout entières ne sont qu'un immense atelier, qu'un immense foyer, qu'un salon immense. Et cela s'est fait le plus simplement, le plus inévitablement du monde. Suivant la loi de ségrégation du vieil Herbert Spencer, le triage des virtuosités et des vocations hétérogènes devait s'opérer tout seul. En effet, au bout d'un siècle déjà, il y avait sous terre, en voie de formation ou de perforation continue, une cité de peintres, une cité de sculpteurs, une cité de musiciens, une cité de poètes, une cité de géomètres, de physiciens, de chimistes, de naturalistes même, de psychologues, de spécialités théoriques ou esthétiques en tout genre, sauf, à vrai dire, en philosophie. Car on a dû renoncer, après plusieurs tentatives, à établir ou à maintenir une cité de philosophes, par suite notamment des troubles continuels causés par la tribu des sociologues, les plus insociables des hommes.

[...]

Il n'y a pas, ai-je dit déjà, de cité, mais il y a une grotte de philosophes, une grotte naturelle, où ils viennent s'asseoir à distance les uns des autres, ou groupés par écoles, sur des chaises en blocs de granit, au bord d'une source pétrifiante — une grotte spacieuse aux prestigieuses cristallisations amoureusement distillées, et simulant vaguement, moyennant un peu de bonne volonté, toutes sortes de beaux objets, des coupes, des lustres, des cathédrales, des miroirs : des coupes qui ne désaltèrent pas, des lustres qui n'éclairent pas, des cathédrales où personne ne prie, mais des miroirs où l'on se mire plus ou moins fidèlement et complaisamment. Là aussi on voit un lac noir et sans fond où se penchent, comme autant de points d'interrogation, les arêtes de la voûte sombre et les barbes des penseurs. Telle quelle, pourtant, et semblable jusqu'au bout à la philosophie qu'elle abrite, cette ample caverne, avec ses scintillements de cristaux dans ses ombres douteuses — pleines de précipices, il est vrai —, est ce qui rappelle le mieux à l'humanité nouvelle, mais avec bien plus encore de fascination illusoire, la grande magie quotidienne de nos aïeux, la nuit étoilée... Or, ce qui se distille là, ce qui se cristallise là d'idées systématiques, de stalactites mentales dans chaque cerveau, est prodigieux, indescriptible. Pendant que toutes les stalactites anciennes vont se ramifiant et se métamorphosant, de table devenant autel, ou d'aigle devenant chimère, de nouvelles apparaissent çà et là encore plus surprenantes. Il y a toujours, cela va sans dire, des néo-aristotéliciens, des néo-kantistes, des néo-cartésiens, des néo-pythagoriciens.

N'oublions pas les commentateurs d'Empédocle, à qui son attrait pour les souterrains volcaniques a valu un rajeunissement inattendu de son antique autorité sur les esprits, surtout depuis qu'un archéologue a prétendu avoir retrouvé le squelette de ce grand homme, en poussant une galerie investigatrice jusqu'au pied de l'Etna aujourd'hui complètement éteint. Mais il y a aussi

constamment quelque grand novateur apportant un évangile iné-
dit que chacun aspire à enrichir d'une variante, destinée à le sup-
planter. Je citerai par exemple la plus forte tête de notre temps,
le chef de l'école à la mode en sociologie. Suivant ce penseur
profond, le développement social de l'humanité, commencé à
la surface terrestre et continué aujourd'hui encore sous son
écorce presque superficielle, doit, au fur et à mesure des progrès du refroidissement solaire et planétaire, se poursuivre de
couche en couche, jusqu'au centre de la terre, la population se
resserrant forcément, et la civilisation, au contraire, se déployant
à chaque nouvelle descente. Il faut voir avec quelle force et
quelle précision dantesque il caractérise le type social propre à
chacune de ces humanités emboîtées concentriquement, toujours
de plus en plus nobles, riches, équilibrées, heureuses. Il faut lire
le portrait, largement touché, qu'il retrace du dernier homme,
seul survivant et seul héritier de cent civilisations successives,
réduit à lui-même et se suffisant à lui-même au milieu de ses
immenses provisions de science et d'art, heureux comme un
Dieu parce qu'il vient de découvrir le vrai mot de la grande
énigme, mais mourant parce qu'il ne peut pas survivre à l'humanité, et, au moyen d'une substance explosible, d'une puissance extraordinaire, faisant sauter le globe avec lui, pour ense-
mencer l'immensité des débris de l'homme ! Ce système, on le
comprend, a beaucoup de sectateurs. Ses sectatrices pourtant,
gracieuses Hypathies, nonchalamment couchées autour du bloc
magistral, sont d'avis qu'il conviendrait d'adjoindre à l'homme
final la femme finale, non moins idéale que lui.

Mais que dirai-je de l'art et de la poésie ? Ici, pour être juste,
la louange deviendrait de l'hyperbole. Bornons-nous à indiquer
le sens général des transformations. J'ai dit ce qu'était devenue notre architecture, tout *intériorisée* pour ainsi dire et har-
monieuse, image pétrifiée et idéale, concentrée et consommée,
de la nature d'autrefois. Je n'y reviendrai pas. Mais il me reste
à dire un mot de cette immortelle et débordante population de
statues, de fresques, d'émaux, de bronzes, qui, de concert avec
la poésie, chantent, dans cette transfiguration architecturale de
l'abîme, l'apothéose de l'amour. Il y aurait une intéressante
étude à faire sur les métamorphoses graduelles que le génie de
nos peintres et de nos sculpteurs a fait subir depuis trois siècles à ces types consacrés de lions, de chevaux, de tigres, d'oiseaux, d'arbres, de fleurs, sur lesquels il ne se lasse pas de s'exercer, sans être aidé ni entravé par la vue d'aucun animal, ni

d'aucune plante. Jamais, en effet, nos artistes — qui tiennent fort, eux, à n'être pas pris pour des photographes — n'ont autant représenté de plantes, d'animaux et de paysages que depuis qu'il n'y en a plus ; comme ils n'ont jamais tant peint et sculpté de draperies que depuis que tout le monde sort à peu près nu, tandis qu'autrefois, au temps de l'humanité vêtue, les nudités foisonnaient dans l'art. Est-ce à dire que la Nature, maintenant morte, autrefois vivante, où nos grands maîtres puisent leurs sujets et leurs motifs, soit devenue un simple alphabet hiéroglyphique et froidement conventionnel ? Non : fille à présent de la tradition et non plus de la génération, humanisée et harmonisée, elle a encore plus de prise sur le cœur, et, si elle rappelle à chacun ses songes plutôt que ses souvenirs, ses conceptions plutôt que ses sensations, ses admirations d'artiste plutôt que ses terreurs d'enfant, elle n'en est que plus propre à enchanter et subjuguer. Elle a pour nous le charme profond et intime d'une vieille légende, mais d'une légende à laquelle on croit.

Rien de plus inspirateur. Telle devait être la mythologie du bon Homère, quand ses auditeurs des Cyclades croyaient encore à Aphrodite et à Pallas, aux Dioscures et aux Centaures, dont il leur parlait en leur arrachant des larmes de ravissement. Ainsi nos poètes nous font pleurer quand ils nous parlent maintenant des cieux d'azur, de l'horizon des mers, du parfum des roses et du chant des oiseaux, de toutes ces choses que notre œil n'a point vues, que notre oreille n'entendra jamais, que tous nos sens ignorent, mais que notre pensée évoque en nous par un instinct étrange, au moindre toucher de l'amour. Et, quand nos peintres nous montrent ces chevaux, dont les jambes s'affinent de plus en plus, ces cygnes dont le cou de plus en plus s'arrondit et s'allonge, ces vignes dont les feuilles et les pampres chaque jour se compliquent de dentelures et de paraphes nouveaux en enlaçant des oiseaux plus exquis, une émotion sans rivale s'élève en nous, telle qu'en pouvait éprouver un jeune Grec devant un bas-relief plein de faunes et de nymphes, ou d'argonautes emportant la toison d'or, ou de néréides jouant autour de la coupe d'Amphitrite.

Si notre architecture, malgré toute ses magnificences, semble n'être qu'un simple décor de nos autres beaux-arts, ceux-ci, à leur tour, quelque admirables qu'ils soient, ont l'air d'être à peine dignes d'illustrer notre poésie et notre littérature lapidaires. Mais, dans notre poésie et notre littérature même, il y a des splendeurs qui sont à d'autres beautés plus voilées ce que la fleur est à l'ovaire, ce que le cadre est au tableau. Qu'on lise nos drames, nos épopées romanesques, où toute l'histoire ancienne se déroule magiquement jusqu'aux luttes et aux amours héroïques de Miltiade ; on jugera que rien de plus sublime ne peut plus être écrit. Qu'on lise aussi nos idylles, nos élégies, nos épigrammes inspirées de l'Antiquité et nos vers de tout genre, écrits en une dizaine de langues mortes, qui à volonté revivent pour raviver de leurs timbres distincts, de leurs sonorités multiples le plaisir de notre oreille, et accompagner pour ainsi dire de leur riche orchestration le chant de notre pur attique, en anglais, en allemand, en suédois, en arabe, en italien, en français ; on n'imaginera rien de plus enchanteur que cette résurrection transfigurante d'idiomes oubliés, jadis glorieux.

Quant à nos drames, quant à nos poèmes, œuvres souvent collectives et individuelles à la fois d'une école incarnée dans son chef et animée d'une idée unique, telles que les sculptures du Parthénon, il n'est rien dans les chefs-d'œuvre de Sophocle ou d'Homère qui puisse leur être comparé. Ce que les espèces éteintes de la nature jadis vivante sont à nos peintres et à nos statuaires, les sentiments non moins éteints de l'ancienne nature humaine le sont à nos dramaturges. La jalousie, l'ambition, le patriotisme, le fanatisme, la fureur des combats, l'amour exalté de la famille, l'orgueil du nom, toutes ces passions disparues du cœur, quand ils les évoquent sur la scène, ne font plus pleurer ni frémir personne, pas plus que les tigres et les lions de type héraldique peints sur nos parvis ne font peur à nos enfants. Mais, avec un accent nouveau et tout autrement résonnant, elles nous parlent leur ancien langage ; et, à vrai dire, ne sont qu'un grand clavier que jouent nos passions nouvelles. Or, il n'y en a qu'une seule, sous ses mille noms, comme il n'y a qu'un soleil là-haut ; c'est l'amour, âme de notre âme, et foyer de notre art. Soleil véritable et indéfectible, celui-là, qui du regard ne se lasse pas de toucher et de ranimer, pour les rajeunir, pour les redorer de ses aurores ou les réempourprer de ses couchants, ses créatures inférieures d'autrefois, les antiques formes du cœur ; à peu près comme il suffisait d'un rayon à l'autre soleil pour opérer cette grande évocation embellissante des plus vieux types végétaux ressuscités en fleurs, cette grande fantasmagorie annuelle, décevante et charmante, qu'on appelait le printemps, quand il y avait un printemps encore !

Aussi, pour nos fins lettrés, tout ce que je viens de louer

naguère n'a-t-il aucun prix, si leur cœur n'est frappé. Ils donneraient, pour une note intime et juste, tous les tours de force et de prestidigitation. Ce qu'ils cherchent, sous les plus grandioses conceptions et machinations scéniques, sous les innovations rythmiques les plus audacieuses, et ce qu'ils adorent à genoux quand ils l'ont trouvé, c'est un court passage, un vers, une moitié de vers, où une nuance inaperçue d'amour profond, où la moindre phase inexprimée de l'amour heureux, de l'amour souffrant, de l'amour mourant, laissa son empreinte. Ainsi, à l'origine de l'humanité, chaque teinte de l'aube ou du crépuscule, chaque heure du jour, fut, pour le premier qui la nomma, un nouveau dieu solaire qui eut bientôt ses adorateurs, ses prêtres et ses temples. Mais détailler la sensation, à l'instar des érotiques démodés, ce n'est rien pour nous ; le difficile et le méritoire est de cueillir, avec nos mystiques, aux derniers abîmes de la douleur, les perles et les coraux du fond de cette mer, ses fleurs d'extase, et d'enrichir l'âme à ses propres yeux. Notre poésie la plus pure rejoint ainsi notre psychologie la plus profonde. L'une est oracle, l'autre est le dogme de la même religion.

Et cependant, le croirait-on ? malgré sa beauté, son harmonie, son incomparable douceur, notre société a aussi ses réfractaires. Il est, çà et là, des irréguliers qui se disent saturés de notre essence sociale toute pure et à si haute dose, de notre société à outrance et forcée. Ils trouvent notre beau trop fixe, notre bonheur trop calme. En vain, pour leur plaire, on varie de temps en temps la force et la coloration de notre éclairage et l'on fait circuler dans nos couloirs une sorte de brise rafraîchissante ; ils persistent à juger monotone notre jour sans nuage et sans nuit, notre année sans saisons, nos villes sans campagnes. Chose étrange, quand arrive le mois de mai, ce sentiment de malaise, qu'ils éprouvent seuls en temps ordinaire, devient contagieux et presque général. Aussi est-ce le mois le plus mélancolique et le plus désœuvré de l'année. On dirait que, chassé de partout, de l'immensité morne des cieux et de la surface glacée du sol, le Printemps a, comme nous, cherché asile sous la terre ; ou plutôt que son fantôme errant revient périodiquement nous visiter et nous tourmenter de son obsession. Alors se remplit la cité des musiciens, et leur musique devient si douce, si tendre, si triste, si désespérément déchirante, qu'on voit les amants, par centaines à la fois, se prendre la main et monter voir le ciel meurtrier... A ce propos, je dois dire qu'il y a eu récemment une fausse alerte, causée par un halluciné qui a prétendu avoir vu le soleil se ranimer et fondre la glace. A cette nouvelle, que rien n'a confirmée d'ailleurs, une part assez notable de la population s'est émue et s'est plu à caresser des projets de sortie prochaine ; rêves malsains et subversifs qui ne sont bons évidemment qu'à fomenter un mécontentement factice. Par bonheur, un érudit, en fouillant, dans un recoin oublié des archives, y a mis la main sur un grand recueil de planches phonographiques et cinématographiques, rassemblées par un antique collectionneur. *Jouées* par le phonographe et le cinématographe combinés, ces planches nous ont fait entendre soudain tous les bruits anciens de la nature, accompagnés des visions correspondantes, le tonnerre, les vents, les gaves, les rumeurs de l'aube, les cris réguliers de l'orfraie et la longue plainte du rossignol parmi toutes sortes de chuchotements nocturnes. A cette résurrection acoustique et visuelle d'un autre âge, d'espèces éteintes et de phénomènes évanouis, un immense étonnement, bientôt suivi d'une immense désillusion, s'est produit parmi les plus chauds partisans du retour à l'ancien régime. Car ce n'était point là ce qu'on avait cru jusqu'alors sur la foi des poètes et des romanciers, même les plus naturalistes ; c'était quelque chose d'infiniment moins délicieux et moins digne de regrets. Le chant du rossignol surtout a provoqué un véritable dépit ; on lui en veut de s'être montré si inférieur à sa réputation. Assurément, le plus mauvais de nos concerts est plus musical que cette soi-disant symphonie naturelle à grand orchestre.

Ainsi a été apaisé, par un ingénieux procédé absolument inconnu aux gouvernements anciens, ce premier et unique essai de rébellion. Puisse-t-il être le dernier ! Certains ferments de discorde commencent, hélas ! à s'infiltrer dans nos rangs ; et nos moralistes n'observent pas sans appréhension quelques symptômes qui dénotent le relâchement de nos mœurs. Le progrès de notre population, notamment depuis plusieurs découvertes chimiques, à la suite desquelles on s'est trop hâté de dire qu'on allait faire du pain avec des pierres, et qu'il ne valait plus la peine de ménager nos provisions de table, de se gêner pour maintenir limité le nombre des bouches, est très inquiétant. En même temps que le nombre des enfants augmente, celui des chefs-d'œuvre diminue. Espérons que cette progression lamentable s'arrêtera bientôt. Si le soleil, cette fois encore, comme après les diverses époques glaciaires, vient à se réveiller de sa léthargie et reprend de nouvelles forces, souhaitons qu'une faible partie seulement de notre population, celle qui a l'esprit le plus léger, le cœur le plus indisciplinable et le plus atteint de matrimonialité incurable, profite des avantages apparents et trompeurs que leur offrira cette guérison céleste, et se précipite en haut vers la liberté des intempéries ! Mais c'est bien peu probable, si l'on songe à l'âge avancé du soleil ou au danger des rechutes séniales. Et c'est encore moins désirable. Heureux, répétons-le après Miltiade, notre auguste père, heureux les astres qui se sont éteints, c'est-à-dire la presque totalité de ceux qui peuplent l'espace ! Le rayonnement, a-t-il dit avec vérité, est aux étoiles ce que la floraison était aux plantes. Après avoir fleuri, elles fructifiaient. Ainsi, sans doute, lasses d'expansion et d'inutile dépense de force dans le vide infini, les étoiles recueillent, pour les féconder dans leur sein profond, des germes de vie supérieure. L'illusoire éclat de ces étoiles disséminées, en nombre relativement infime, qui brûlent encore, qui n'ont pas encore achevé de jeter ce que Miltiade appelle leur gourme de lumière et de chaleur, empêchait les premiers hommes de songer à cela, à cette innombrable et paisible population d'étoiles obscures, qui avait pour voile ce rayonnement. Mais nous, délivrés de prestige et affranchis de cette séculaire illusion d'optique, continuons à croire fermement que, parmi les astres comme parmi les hommes, les plus brillants ne sont pas les meilleurs, que les mêmes causes ont amené ailleurs les mêmes effets, forçant d'autres humanités à se blottir dans le sein de leur globe, à y poursuivre en paix, dans des conditions singulières d'indépendance et de pureté absolues, le cours heureux de leurs destinées, et qu'enfin, aux cieux comme sur la terre, le bonheur vit caché*.

Gabriel TARDE

---

* Extraits de *Fragment d'Histoire future* (chap. V et VII).

Veblen contempteur de la culture[*]

Remarques sur la théorie de la classe de loisir

L'ouvrage de Thorstein Veblen, *Théorie de la classe de loi-sir,* est devenu célèbre par sa théorie de la consommation osten-tatoire, selon laquelle la consommation de biens ne vise pas tant à satisfaire de vrais besoins ou à assurer ce que Veblen appelle la « plénitude de vie », que, dans une large mesure, à mainte-nir un prestige social, un « statut ». Cela vaudrait pour l'his-toire entière de l'humanité, depuis le stade le plus primitif, que

[*] L'article d'Adorno, « Veblen's Attack on Culture » a paru en 1941 (vol. IX, n° 3) dans la revue *Studies in Philosophy and Social Sciences* qui faisait suite au *Zeitschrift für Sozialforschung* publié par l'Institut de Francfort. L'intérêt polé-mique nouveau porté par Adorno à un livre paru en 1899 tient à un double contexte. C'est d'une part ses travaux sur la « culture populaire », d'autre part la significa-tion prise par les démystifications de la culture dans le contexte du nazisme et de la guerre.
Depuis 1939, la revue des « francfortiens » était publiée en anglais. C'est cette première version anglaise que nous avons traduite. Le texte a été ultérieurement repris et publié en allemand dans le recueil *Prismen* (Francfort, 1955), dont la tra-duction doit paraître dans la collection « Critique de la politique » dirigée par Miguel Abensour. Nous remercions les éditions Payot d'avoir permis la publica-tion de ce large fragment.

Veblen caractérise comme phase prédatrice, jusqu'aux temps présents. De cette critique de la consommation comme pure ostentation, Veblen tire des conséquences qui le rapprochent, au point de vue esthétique, du fonctionnalisme (dont Adolf Loos énonçait les thèses environ à la même époque), et, au point de vue pratique, de la technocratie. Cette composante sociologique de l'œuvre de Veblen a joué un rôle historique indéniable ; cependant, elle ne montre pas suffisamment les véritables mobiles de sa pensée. C'est contre le caractère barbare de la culture que Veblen dirige son attaque. L'expression « civilisation barbare », présente dès la toute première phrase [1], resurgit à maintes reprises tout au long de son principal ouvrage. Elle ne s'applique, au sens strict, qu'à une période historique déterminée, mais qui s'avère d'une ampleur considérable puisqu'elle s'étend de l'époque des anciens chasseurs et guerriers jusqu'à celle des seigneurs féodaux et des monarques absolus, la relation à l'ère capitaliste étant délibérément laissée dans l'ombre. L'intention est néanmoins évidente, en de nombreux passages, de dénoncer la barabarie des Temps modernes précisément là où ils affirment le plus solennellement constituer une culture. Les traits mêmes sous lesquels les Temps modernes semblent avoir échappé à la simple utilité et atteint un niveau proprement humain, Veblen les considère comme des reliques d'époques historiques depuis longtemps révolues. L'émancipation vis-à-vis de la sphère de l'utilité n'est à ses yeux que l'indice d'une inutilité, ayant pour origine le fait que les « institutions » culturelles, tout comme les caractères anthropologiques, ne changent pas en même temps que les modes économiques de production, ni de la même manière, mais restent loin derrière eux et parfois les contredisent ouvertement. Si l'on s'attache moins aux propos mêmes de Veblen, tantôt pleins de haine et tantôt d'une grande modération, qu'au mouvement général de sa pensée, on peut dire que, pour lui, les caractères culturels où semblent avoir été surmontés la cupidité, le désir de suprématie et la considération exclusive de l'immédiat ne sont que les résidus de formes objectivement périmées de cupidité, de rivalité et d'attachement grossier à l'immédiat. Ils découlent d'un désir de prouver aux

---

1. Thorstein VEBLEN, *The Theory of the Leisure Class,* The Modern Library, New York, 1943. Trad. fr. de Louis Evrard, *Théorie de la classe de loisir,* Gallimard, 1970, p. 3. Les citations de Veblen sont rapportées à la pagination de la traduction française.

autres que l'on est dégagé des considérations crûment pratiques
— plus spécialement, que l'on peut consacrer du temps à l'inutile pour rehausser sa position dans la hiérarchie sociale, accroître sa respectabilité et, finalement, réaffirmer son pouvoir sur
autrui. La culture ne s'en prend à l'utilité qu'au profit d'une
utilité indirecte. Elle est corrompue par le « mensonge vital ».
Traquant ce mensonge vital, l'analyse de Veblen pénètre
jusqu'aux phénomènes de culture apparemment les plus inof-
fensifs. Sous son regard peu amène, une canne, une pelouse,
un arbitre sportif, un animal domestique deviennent de signi-
ficatives allégories de l'essence barbare de la culture.

Non moins que le contenu de son enseignement, sa méthode
a fait dénoncer Veblen comme un marginal extravagant et des-
tructeur. En même temps, cependant, on assimilait sa théorie.
Elle est aujourd'hui largement, officiellement reconnue, et sa
terminologie, à l'instar de celle de Freud, s'est répandue chez
les journalistes. On pourrait voir là seulement un exemple de
la tendance courante à désarmer un adversaire exaspérant en
reprenant ses vues sous un étiquetage standardisé. Pourtant, la
pensée de Veblen n'est pas sans présenter quelque harmonie avec
la manière dont elle a été ensuite reprise ; Veblen est moins marginal qu'il n'y paraît à première vue. La notion de consommation ostentatoire a une longue histoire. Elle remonte au
postulat de l'éthique grecque selon lequel la vraie vie devrait
s'accorder à la pure nature de l'homme et non à des valeurs
arbitrairement posées par lui. Sous sa forme chrétienne, la critique du gaspillage joue un grand rôle chez les auteurs patris-
tiques, qui admettent l'art seulement dans la mesure où il « produit le nécessaire et non le superflu [2] ». Jamais la présence
d'éléments irrationnels dans la culture n'a été dénoncée plus clairement que chez certains humanistes sceptiques du xvie siècle [3].
Cette idée a imprégné l'ensemble de la philosophie et de la théo-
logie occidentales. Les attaques contre la culture ont été sou-
tenues par le mouvement intellectuel qui, dans la seconde moitié
du xixe siècle, défia la morale officielle de l'ordre établi, déclarée hypocrite et impuissante, et annonça la crise imminente de

2. Johannes CHRYSOSTOMOS, *Kommentar zum Evangelium des heiligen Mat-
thäus,* Kempten und München, 1916, 3, p. 93.
3. Cf. Agrippa VON NETTESHEIM (1486-1535), *Die Eitelkeit und Unsicherheit der
Wissenschaften,* Fritz Mauthner, Munich, 1913, 1, p. 111 et s.

la civilisation européenne — un mouvement qui compta parmi ses protagonistes les plus importants écrivains de cette période. Veblen incorpore à la sociologie certains des thèmes fondamentaux de ce mouvement. Au point de vue scientifique, il est largement tributaire de Spencer et de Darwin, de l'école historique allemande de Gustav Schmoller et, par-dessus tout, du pragmatisme américain [4]. « La vie de l'homme en société, tout comme celle des autres espèces, est une lutte pour l'existence, et donc un processus d'adaptation sélective. L'évolution de la structure sociale a été un processus de sélection naturelle des institutions. Les institutions humaines ont fait et font encore des progrès qui se réduisent en gros à une sélection des habitudes mentales les plus recevables, et à un processus d'adaptation forcée des individus à leur milieu, un milieu qui a changé au fur et à mesure que la société se développait, et que changeaient aussi les institutions sous lesquelles les hommes ont vécu [5]. »

Le concept d'adaptation, ou d'ajustement, est ici central. L'homme est soumis à la vie comme à des conditions expérimentales fixées par quelque directeur de laboratoire inconnu. Ce que l'on attend de lui, s'il doit survivre, c'est de s'adapter aux conditions naturelles et historiques qui lui sont imposées. Implicitement, la vérité des idées se mesure à leur capacité de favoriser cette adaptation et de contribuer à la survivance de l'espèce. C'est toujours l'échec d'une telle adaptation qui fait l'objet de la critique de Veblen. Il est parfaitement conscient des difficultés auxquelles se heurte la doctrine au niveau social, les conditions auxquelles les hommes ont à s'adapter étant, pour une large part, produites par la société. Il tient compte de l'interaction entre interne et externe, ce qui le contraint à constamment affiner et rectifier la doctrine de l'adaptation, mais il se garde bien de mettre en question la nécessité absolue de celle-ci. Le progrès n'est pour lui qu'adaptation, et le monde auquel il entend que les hommes s'ajustent est celui de la technique industrielle. Concrètement, le progrès signifie pour Veblen l'assimilation des formes de pensée et de « vie » — ce terme renvoyant à la sphère de la consommation économique — à celles de la technique industrielle. L'instrument de cette assimilation est la Science, qu'il conçoit comme l'application universelle du prin-

---

4. Cf. Wesley C. MITCHELL, *What Veblen Taught*, New York, 1936, p. XXVI.
5. VEBLEN, *op. cit.*, p. 124.

cipe de causalité, par opposition aux formes animistes archaïques de la pensée. La pensée causale est celle qui s'exerce en
termes de relations objectives, quantitatives, telles qu'elles
découlent de la production industrielle, plutôt qu'en termes per-
sonnalistes. La notion de téléologie, en particulier, est à exclure
radicalement.

Pour bien apercevoir la force qui assure la conjonction de ces
thèmes dans la pensée de Veblen, il faut considérer son expérience intellectuelle fondamentale. On peut la caractériser
comme expérience de la fausse unicité. A mesure que s'étend
la production massive de marchandises identiques et leur distribution monopolistique, à mesure qu'un cadre de vie hautement industrialisé permet de moins en moins l'authentique indi-
vidualisation d'un *hic et nunc,* la prétention du *hic et nunc*
d'échapper à l'universelle interchangeabilité devient plus illusoire. Tout se passe comme si la prétention de chaque objet à
la particularité venait outrager une situation dans laquelle chaque personne et chaque chose sont à chaque instant assujetties
à une perpétuelle similarité. Veblen ne peut supporter cet
outrage. Sa révolte consiste précisément à souligner avec obs-
tination à quel point ce monde présente dans ses produits la
même similarité abstraite que lui prescrivent les conditions économiques et technologiques. Aujourd'hui, des expressions
comme « délicieusement différent » ou « étrange » sont depuis
longtemps déjà des formulations publicitaires convenues : aussi
cette considération nous est-elle aisément accessible. Mais, lorsque Veblen y parvint, ce n'était pas encore si évident. Il sut per-
cer à jour la pseudo-individualité des choses, bien avant que la
technique n'eût aboli jusqu'à leur véritable individualité. Il
démasqua le simulacre de l'unique en montrant l'inconséquence
inhérente aux objets uniques eux-mêmes, la contradiction entre
leur forme esthétique et leur fonction pratique. Leurs fonctions
humaines sont désavouées par l'inhumanité de leurs formes.
Veblen découvrit un aspect de la vaine exhibition qui a largement échappé à la critique esthétique, mais qui explique peut-
être en bonne partie le choc, l'impression de catastrophe, que
nous donnent aujourd'hui tant de bâtiments et d'intérieurs du
XIXᵉ siècle. Ceux-ci portent le sceau de l'oppression. Sous le
regard de Veblen, leurs ornements apparaissent menaçants parce
que révélateurs de leur relation avec d'anciens modèles de
violence et de domination, comme le signale de façon plus

frappante que tout autre ce passage sur l'architecture des maisons de charité : « Prenons le cas de deniers réservés à la fondation d'un asile pour enfants trouvés, et d'une maison de retraite pour invalides. En pareil cas, il n'est pas rare que la dépense soit dirigée vers le gaspillage honorifique — pas assez rare pour qu'on en soit surpris ni même pour qu'on en sourie. Une part appréciable des fonds s'en va dans la construction d'un édifice paramenté de quelque pierre esthétiquement inqualifiable mais coûteuse, recouvert de détails saugrenus et disparates, et destinés, comme le signalent ses murs crénelés, ses portails massifs et ses abords stratégiques, à évoquer certaines méthodes guerrières de l'âge barbare [6]. » L'accent porté sur les aspects menaçants du faste et de l'ornementation prend tout son sens quand on le rapporte à la notion du cours de l'histoire — notion plus profonde, dissimulée et probablement inconsciente — que véhicule la théorie de Veblen. Les images de barbarie agressive qu'il mit à jour dans le clinquant si cher au xixᵉ siècle, en particulier dans les ambitions ornementales d'après 1870, frappèrent son sens du progrès comme des reliques d'époques dépassées, ou comme des « réversions » dues à ceux qui n'accomplissaient eux-mêmes aucun travail productif, qui échappant à la contrainte industrielle étaient, pour ainsi dire, en retard sur leur temps. Cependant, ces mêmes traits qu'il désignait comme archaïques lui semblaient exprimer l'horreur d'un avenir déjà tout proche. Son regard affligé contredit sa philosophie progressiste [7]. Depuis lors, le sinistre aspect de l'asile pour enfants trouvés, qui le frappait comme un signe d'oppression, s'est révélé annonciateur de la sinistre réalité aujourd'hui en œuvre dans les palais de torture des nationaux-socialistes. Aux yeux de Veblen, c'est toute la culture de l'humanité qui revêt l'aspect terrifiant venu au plein jour dans sa dernière phase. La fascination qu'exerçait sur lui ce destin imminent explique et justifie son injustice vis-à-vis de la culture. Cette culture qui a pris aujourd'hui la forme de la publicité à seule fin de tenir les hommes en laisse jour après jour n'a jamais été pour Veblen autre chose que publicité, étalage de rapine, de pouvoir, d'usurpation de surproduit. Dans sa grandiose misanthropie, il néglige tout ce qui existe au-delà de cet étalage. Son obsession le pousse

---

6. *Ibid.*, p. 230.
7. Dans les derniers textes de Veblen, on voit s'effondrer sa croyance optimiste au progrès.

à percevoir les traces sanglantes de l'injustice jusque dans l'image du bonheur. Les métropoles du XIXᵉ siècle rassemblaient, sur un mode fantasmagorique, piliers de temps grecs, cathédrales gothiques, arrogants palais des cités-Etats italiennes, pour démontrer leur pouvoir illimité sur l'histoire de l'humanité et sur ses biens. Veblen leur rend la pareille, présentant les temples, les cathédrales et les palais comme, dès l'orgine, aussi factices que leurs imitations. Il n'explique pas la camelote à partir de la culture, mais l'inverse. On ne pouvait exprimer plus simplement cette hypostase universelle de la phase monopolistique, dans laquelle la culture s'est vue dévorée par la publicité, que ne l'a fait Stuart Chase dans sa préface à la *Théorie de la classe de loisir :* « Les gens qui vivent au-dessus du niveau de simple subsistance, à notre époque comme dans toutes les époques précédentes, n'emploient pas utilement le surplus que leur donne la société [8]. » S'agissant de « toutes les époques précédentes », Veblen passe sous silence tous les caractères des objets culturels qui diffèrent de l'actuelle culture marchande. Dès lors que les produits de l'industrie humaine n'étaient pas conçus comme présentant quelque utilité, leur *raison d'être**, selon cette théorie, était celle de la consommation ostentatoire. Or ces objets expriment aussi la croyance dans le pouvoir réel des rites magiques ; le thème sexuel et son symbolisme qui, soit dit en passant, n'est pas une seule fois mentionné dans la *Théorie de la classe de loisir* ; la compulsion à l'expression artistique ; toutes les aspirations à échapper à la sphère de l'utilité. Ennemi radical de toute spéculation téléologique, Veblen met en œuvre ici, contre sa propre volonté, le schème d'une téléologie diabolique. Son esprit subtil ne recule pas devant le plus brutal rationalisme pour mettre ironiquement en évidence le poids universel du fétichisme sur le prétendu royaume de la liberté. Dans son intransigeante conception de l'histoire du monde, la culture fonctionne dès le tout début comme publicité : comme réclame pour la domination.

[...]

Dans un fragment publié après sa mort, le poète allemand Franz Wedekind observe que le kitsch constitue le gothique ou le baroque de notre époque. La nécessité historique d'un tel

---

8. Préface à l'édition américaine, p. XIV.
* En français dans le texte. (*N. d. T.*).

kitsch est restée méconnue de Veblen. Pour lui, le château factice n'est rien d'autre qu'une réversion. Il ne reconnaît rien de sa modernité intrinsèque, considérant les images illusoires d'unicité, à l'époque de la production de masse, comme de simples vestiges, non comme des réactions à la mécanisation capitaliste qui révèlent quelque chose de l'essence de celle-ci. Le monde des objets, dans sa théorie de la consommation ostentatoire, est en fait un monde d'images artificielles, qui naissent d'une tentative désespérée pour échapper à la similarité abstraite des choses par une sorte de puérile *promesse de bonheur**, sans aucun fondement en dehors d'elle-même. Les hommes préfèrent donner corps à leurs rêves d'enfance dans des produits de leur fabrication, puis attacher foi à leur propre fiction, plutôt que de rejeter un tel espoir. Les images artificielles en lesquelles sont transfigurées les marchandises ne sont pas seulement la projection de relations humaines opaques sur le monde des choses ; elles servent aussi à créer les chimériques déités de tout ce qui ne saurait s'exprimer en termes de production et d'adaptation à la production, mais obéit encore au principe du marché. La pensée de Veblen s'enlise devant cette antinomie. Pourtant, c'est celle-ci qui transforme le kitsch en « style ». Le kitsch ne se réduit pas à un mauvais investissement de travail, mais représente l'effort universel pour convoquer au sein de la réalité l'idée de ce qui échappe à l'échange. Si cet effort, venu de l'enfance, est universel, et constitue un « style », c'est parce que la contrainte et l'esclavage contre lesquels il s'élève sont universels. Le retour au lointain passé, auquel Veblen s'attache principalement, n'est qu'un autre aspect du caractère puéril de cet effort. Le rapport entre progrès (« modernité ») et réversion (« archaïsme ») peut être présenté sous forme d'une thèse. Dans une société où les capacités de production à la fois se développent et sont entravées, et cela par l'effet d'un même principe, chaque progrès de la technique implique quelque part ailleurs une réversion archaïque. C'est par cet effet de contrepoids, d'équivalence, que la société de classe reste pénétrée de ce qui est essentiellement « sans histoire », toujours identique, et qu'elle mérite d'être appelée, par une gigantesque abréviation, « *préhistoire* ». Ce que dit Veblen du naturel barbare [9] le laisse entrevoir : la barbarie est chose normale parce que, loin

* En français dans le texte. (*N. d. T.*)
9. VEBLEN, *op. cit.*, p. 143.

de ne consister qu'en des rudiments, elle se reproduit constamment, à proportion de la souveraineté de l'homme sur la nature. Veblen prend néanmoins trop à la légère cet équilibre persistant, bien qu'étant fort près d'en reconnaître l'existence. Il remarque la disparité temporelle du château et de la gare, mais ne saisit pas la loi qui gouverne cette disparité. La gare revêt l'apparence du château, mais cette apparence est sa vérité. C'est seulement lorsque le monde technologique se met directement au service de la domination qu'il peut se passer de ce déguisement, c'est seulement dans le fascisme qu'il se montre égal à lui-même.

Veblen ne voit pas ce qu'il y a de nécessaire dans l'archaïsme moderne. Il croit que les images artificielles peuvent être éliminées par de simples changements institutionnels au sein de la société. Telle est, en dernière analyse, la raison pour laquelle il coupe court à la *questio juris* de ce luxe et de ce gaspillage qu'avec le zèle d'un réformateur du monde il aspire à abolir. Car on est fondé à parler d'un double caractère de luxe, et Veblen concentre ses attaques sur l'un de ses deux aspects : cette fraction du produit social qui n'est pas utilisée pour satisfaire les désirs des hommes et leur apporter le bonheur, mais gaspillée aux fins de perpétuer des relations de production périmées et asservissantes. Cependant, l'autre aspect du luxe consiste en ce que toute une partie du produit social est dépensée sans contribuer ni directement ni indirectement à la reproduction de la force de travail des hommes — mais sert l'homme en tant qu'homme, pour autant que même dans une société de classe il n'est pas encore totalement victime du principe d'utilité. Veblen ne distingue pas explicitement entre ces deux aspects de luxe, mais il cherche incontestablement à rejeter le premier comme consommation ostentatoire et à conserver le second au nom de la « plénitude de vie ». La brutalité de cette intention rend toutefois manifeste la faiblesse de sa théorie. Car, dans une société capitaliste, on ne peut pas davantage distinguer dans le luxe les *faux frais** et le bonheur, que dans le travail la valeur d'échange et la valeur d'usage. Certes, il n'est de bonheur pour les hommes que lorsqu'ils échappent par intermittence au carcan de la société ; cependant, la forme concrète de ce bonheur contient toujours la totalité des conditions sociales de la situation dans laquelle ils vivent. C'est ainsi que le bonheur de

---

* En français dans le texte. (*N. d. T.*)

l'amoureux ne se rapporte pas simplement à la femme aimée en elle-même, comme être humain, ni même à son corps comme tel, mais à cette femme dans tout ce qui fait son être social concret, et dans son apparence sociale. Walter Benjamin écrivait qu'il est érotiquement aussi important pour un homme de pouvoir se montrer en compagnie de la femme qu'il aime que d'obtenir qu'elle se donne à lui. Veblen se serait volontiers associé aux railleries bourgeoises contre une telle affirmation et aurait parlé de consommation ostentatoire. Mais le bonheur tel qu'on le rencontre en réalité ne peut être entièrement dissocié de la consommation ostentatoire. Les hommes eux-mêmes sont les produits d'une société donnée. Point de bonheur pour eux qui ne soit lié aux appétits que cette société conditionne, alors même que le bonheur ne peut à leurs yeux qu'en transcender les limites. Une pensée utopique abstraite qui manque à prendre en compte ce paradoxe a vite fait de se retourner contre le bonheur et de soutenir l'ordre des choses que précisément elle entend combattre. En effet, comme l'utopie abstraite entreprend de laver le bonheur de toutes les empreintes de l'ordre existant, elle se contraint à renoncer à toute revendication concrète de bonheur. Même quand les hommes détruisent leur propre bonheur pour le remplacer par le prestige des choses — Veblen parle ici de confirmation sociale [10] —, ils portent en quelque façon témoignage de ce qui sous-tend secrètement tout faste, toute ostentation, à savoir qu'il n'est pas de bonheur individuel qui n'implique virtuellement le bonheur de la société dans son ensemble. Même lorsqu'on cherche à exciter la jalousie, à faire parade de son statut, à « produire de l'effet », toutes choses qui entachent immanquablement les manifestations du bonheur dans une société de compétition, on reconnaît implicitement que le vrai bonheur exigerait, pour exister, que la joie individuelle eût perdu son caractère privatif. Dans les traits de luxe que Veblen appelle provocants, dans la malveillance même, il ne faut pas lire seulement la perpétuation de l'injustice, mais également un appel déformé à la justice.

Il est fort curieux que chez Veblen la croyance en l'utopie prenne nécessairement la forme qu'il condamne si rigoureusement dans les sociétés de classes moyennes, celle du retour en arrière, de la « réversion ». L'espoir, pour lui, réside uniquement dans l'histoire primitive de l'humanité. Chaque fois que

---

10. *Ibid.*, p. 90.

les contraintes d'un ajustement qui exclut le rêve, les contraintes de l'adaptation à la réalité et aux conditions du monde industriel empêchent son bonheur, il lui semble apercevoir l'image de celui-ci dans quelque lointain âge d'or de l'humanité. « Il semble qu'aux stades tout primitifs de la vie en société, de la vie qu'on peut dire humaine à proprement parler, dans ce milieu, sous ces institutions, la nature des hommes — leur tempérament comme leur attitude spirituelle — ait été paisible et inoffensive, pour ne pas dire indolente. Il suffit ici de choisir ce stade pacifique pour phase initiale de l'évolution sociale. Dans les limites du raisonnement que voilà, le trait spirituel le plus saillant de cette phase initiale présumée, c'est probablement le sens de la solidarité de groupe : un sens tout irréfléchi et informulé, traduit par la recherche sympathique et complaisante, mais non pas acharnée, de tout ce qui peut faciliter la vie humaine ; et par une réaction inquiète contre ce qui peut lui faire obstacle ou la rendre vaine [11]. » Veblen considère les aspects de démythification et d'humanité que présente l'âge bourgeois comme les signes non de la réalisation d'une conscience de soi, mais plutôt d'un retour vers un premier état élyséen. « Ainsi donc, abritée comme elle l'est, la classe de loisir semble montrer des signes de retour aux impulsions diverses qui n'incitent pas à provoquer l'envie, et qui caractérisent la culture sauvage antiprédatrice. Il s'agit d'un retour à la fois vers le sens du travail bien fait et vers l'incitation à l'indolence et à la fraternité [12]. » Veblen, ce technocrate, aspire à la restauration des choses les plus anciennes. Il appelle le mouvement de la « femme moderne » un conglomérat d'« efforts aveugles et incohérents pour réhabiliter la condition féminine d'avant l'âge glaciaire [13] ». Des formules aussi provocatrices semblent aujourd'hui heurter de front le respect positiviste des faits. Ici, cependant, apparaît dans la sociologie de Veblen une très étrange relation entre son positivisme et son idéal rousseauiste du primitif [14]. En positiviste qui ne reconnaît aucune autre norme que l'adaptation, il soulève de façon sardonique, dans un des passages les plus avancés de son œuvre, la question de savoir pourquoi on ne saurait aussi s'adapter au donné des prin-

11. *Ibid.*, p. 143-144.
12. *Ibid.*, p. 232.
13. *Ibid.*, p. 236.
14. Dorfman, notamment, a souligné la grande familiarité de Veblen avec l'œuvre de Rousseau.

cipes de gaspillage, de futilité et de férocité qui, selon sa doctrine, constituent le canon de la bienséance pécuniaire : « A quoi bon ces apologies ? Si les sports ont la faveur du grand nombre, n'est-ce pas là une justification suffisante ? La race a été soumise à une longue discipline de prouesse aux jours de la culture prédatrice et quasi pacifique. Elle en a hérité un tempérament qui s'assouvit dans ces expressions de la férocité et de la ruse. Pourquoi donc refuser de voir les sports comme ils sont, c'est-à-dire comme des expressions légitimes d'un naturel normal et sain ? A quelle autre norme faut-il donc conformer sa vie ? Y en a-t-il une qui ne soit pas donnée dans tout l'ensemble des penchants qu'expriment les sentiments de notre génération, y compris le fond héréditaire de prouesse [15] ? » Ici le raisonnement de Veblen lui fait frôler le risque de capituler face au pur existant, face au « naturel barbare ». Sa solution est surprenante : « La norme cachée que l'on invoque en cet instant n'est autre que l'instinct artisan, qui est de plus ancienne origine et consécration que l'instinct de proie et de rivalité [16]. » Telle est la clé de sa théorie de l'âge primitif. Ce positiviste ne s'autorise à penser la potentialité de l'homme qu'en la transformant en un donné, pour tout dire en la ramenant dans le passé. Il n'imagine d'autre justification de la vie non prédatrice que d'être plus donnée, plus positive, plus existante encore que l'enfer de l'existence. L'âge d'or est l'*asylum ignorantiae* de ce positiviste. Il introduit l'instinct d'artisan pour ainsi dire accessoirement, dans le but, en définitive, de ramener le paradis et l'âge industriel à leur commun dénominateur anthropologique.

C'est dans des théories de ce genre, avec leurs impuissantes constructions auxiliaires pour essayer de réconcilier l'idée de nouveauté avec l'ajustement au toujours semblable, que Veblen s'expose le plus dangereusement à la critique. Comment en effet ne pas traiter de fou un positiviste qui essaie d'échapper au cercle des choses telles qu'elles sont ? Toute l'œuvre de Veblen, en fait, est empreinte de dépit, et constitue une vaste parodie par rapport au sens des proportions qu'exigent les règles du jeu positiviste. Veblen développe à satiété de larges analogies entre les habitudes et institutions du sport et celles de la religion, ou entre l'agressif code d'honneur du gentleman et celui du

---

15. VEBLEN, *op. cit.*, p. 176.
16. *Ibid.*

criminel. Il ne sait pas même s'abstenir de griefs économiques contre ce qui entre de gaspillage dans l'appareil cérémoniel des cultes religieux, se montrant fort proche des réformateurs de l'existence. Bien souvent, son utopie du primitif dégénère en une foi de pacotille envers le « naturel », et le voilà prêchant contre les sottises de la mode, tels les corsets et les jupes longues — essentiellement des attributs du xixe siècle que le progrès du xxe emportera sans mettre pour autant fin à la barbarie culturelle. Chez Veblen, la consommation ostentatoire joue le rôle d'une idée fixe. Pour comprendre la contradiction entre cette idée et ses pénétrantes analyses sociales, il faut prendre en compte la fonction cognitive du dépit. De même que l'image d'un âge primitif pacifique, le dépit est symptomatique — comme chez d'autres auteurs aussi bien — d'un trop prompt relâchement de l'effort de connaissance. L'observateur qui se laisse guider par le dépit tente de rendre l'écrasante machinerie sociale commensurable avec l'expérience humaine. Ce qu'il y a d'opaque et d'étrange dans l'existence à l'époque des monopoles doit pour ainsi dire être saisi par les organes des sens ; pourtant cette étrangeté échappe précisément à l'expérience immédiate. L'idée fixe remplace alors le concept général, elle pétrifie et entretient avec rancœur une expérience spécifique et limitée. Le dépit traduit un désir de surmonter l'inadéquation de toute théorie, quelle qu'elle soit, face à l'universelle souffrance. Cette dernière, néanmoins, étant intrinsèque à la société comme système, ne peut être adéquatement identifiée que par la théorie, nullement à l'aide de simples coups de projecteur jetés sur des symptômes. Non moins paradoxal que cet état de choses est la tentative d'en sortir par le moyen du dépit. Le dépit dresse, pour ainsi dire, les plans d'un colloque avec l'inintelligible, en dénonçant la société au niveau de ses phénomènes de surface. Le prix qu'il paie pour rendre commensurables sa connaissance et l'expérience de la vie, c'est une manifeste insuffisance de cette connaissance. En cela, l'attitude de dépit s'apparente à celle du sectarisme rustique qui impute la déchéance du monde à des puissances mystérieuses. Elle en diffère néanmoins en ce qu'elle confesse l'absurdité de ses propres lubies. Lorsque Veblen situe dans un phénomène superficiel, à savoir la dépense barbare, la responsabilité qui incombe en fait à la structure économique de la société, la disproportion entre cette thèse et la réalité devient un instrument de vérité. Le but est ici de choquer. Le dépit s'accompagne d'un ricanement espiègle, parce que son véritable objet lui glisse entre les doigts. Le dépit de Veblen a pour origine son aversion pour l'optimisme officiel, pour cette sorte de « progressisme » derrière laquelle lui-même se range dès qu'il parle avec bon sens.

De la mélancolie se cache sous le genre de critique qu'il mène, avec cette attitude de désenchantement et de « déboulonnage » conforme au modèle traditionnel, en vogue au siècle des Lumières, qui voyait dans la religion une « mystification par le clergé ». « S'il est une chose dont on a conscience, c'est que la divinité doit avoir des habitudes de loisir et de sérénité. Quand on vient à dépeindre son séjour en images poétiques, pour édifier les fidèles ou stimuler leur imagination, le pieux descripteur propose à son public, comme une vision toute naturelle, un trône décoré de tous les signes distinctifs de l'opulence et de la puissance, et environné de nombreux serviteurs. Dans cette façon de présenter les célestes demeures, l'office de cette armée de serviteurs est ordinairement le loisir par délégation ; ils consacrent tout leur temps, toutes leurs forces, à cette occupation industriellement improductive : répéter sans cesse les traits de mérite et les louanges de la divinité [17]. » Cette manière de blâmer les anges pour l'improductivité de leur travail contient, sous forme rationalisée, un élément blasphématoire, comme tel parfaitement inoffensif. Un homme pratique abat ici son poing sur la table, refuse de se laisser prendre aux rêves et aux névroses de la société. Le triomphe de Veblen ressemble à celui d'un mari qui contraint sa femme hystérique aux travaux du ménage pour la guérir de ses lubies. L'attitude de dépit s'accroche obstinément au monde aliéné des choses et rend l'objet malicieux responsable. Le « déboulonneur » sait d'où vient le vent, il « a le truc », il ne se laisse pas tromper par les objets malicieux, mais en arrache l'enveloppe idéologique pour les manipuler plus aisément, pestant contre cette satanée escroquerie. Ce n'est pas par accident que sa haine est toujours dirigée contre les fonctions intermédiaires. L'escroquerie et le rôle de médiateur vont de pair. Mais aussi l'effort de médiation et la pensée. A la base du « déboulonnage » se trouve la haine de la pensée. La critique de la culture barbare ne doit pas se satisfaire d'une dénonciation barbare de la culture, elle doit reconnaître la barbarie ouverte, dénuée de toute culture, pour la refuser en tant que but intrinsèque de la culture — et non dénoncer d'une voix

17. *Ibid.*, p. 83.

morose, seulement parce que cette barbarie a cessé d'induire en erreur, son ascendant sur la culture. Dans une société fausse, la victoire de la sincérité est la victoire de l'horreur. Cette horreur transparaît dans les sarcasmes du « déboulonneur » — ainsi dans les railleries de Veblen sur les habitants des « célestes demeures » qui pratiquent l'improductivité industrielle. Pareilles plaisanteries en appellent aux amis de l'ordre existant. Le persiflage d'une telle peinture de la béatitude est plus près de la violence que cette peinture elle-même, si bouffie de puissance et de gloire soit-elle.

L'insistance de Veblen sur le monde des faits, son inconoclasme universel, découlent d'un mouvement qui ne saurait être surestimé. On peut dire que chez lui toutes les forces de révolte contre la vie barbare se sont déplacées pour pousser à l'adaptation aux exigences de cette vie. Un pragmatiste de ce genre est vraiment libre de toute illusion. Il n'existe pas pour lui de « tout » : nulle identité entre la pensée et l'être, pas même le concept d'une telle identité. A maintes reprises, Veblen réaffirme que les « habitudes de pensée » et les exigences des situations concrètes sont inconciliables. « Les institutions sont des produits du processus écoulé, adaptés aux conditions passées ; aussi ne sont-elles jamais pleinement accordées aux exigences du présent. En tout état de cause, ce processus d'adaptation sélective ne peut jamais rattraper la situation perpétuellement mouvante où la société se trouve à tout moment ; car le milieu, la situation, les cas pressants de la vie, qui obligent l'homme à s'adapter et opèrent la sélection, changent de jour en jour ; chacune des situations successives de la société, à peine établie, tombe à son tour en désuétude. A-t-on pris quelque mesure ? Cette mesure elle-même change la situation, et il faudra s'adapter encore ; c'est le point de départ d'une autre mesure de rectification, et ainsi de suite, sans aucune cesse [18]. » Cette inconciliabilité exclut l'idéal abstrait ou le fait apparaître comme puérile phraséologie. La vérité ne réside que dans le pas à franchir immédiatement, le plus proche et non le plus éloigné. Le pragmatiste peut désigner la totalité comme ce qui n'est jamais donné définitivement, une fois pour toutes. Seul le tout proche peut être objet d'expérience, tandis que le plus lointain, l'idéal, reste brouillé par l'imperfection et l'incertitude. Autant

_____
18. *Ib·d.*, p. 126.

d'objections dont il convient de tenir compte. Pour opposer la philosophie dialectique au pragmatisme, il ne suffit pas d'insister sur l'intérêt total d'une société « bonne », opposé à la supériorité pratique conquise dans une société mauvaise. Le bien et le mal ne relèvent pas de deux vérités. La vérité d'une bonne société future dépend, pourrait-on dire, de chacun des pas de sa « préhistoire », de chacun de ses moments.

Ainsi la différence entre pragmatisme et dialectique, comme toute authentique différence philosophique, consiste-t-elle en une nuance, à savoir l'interprétation du pas suivant. Le pragmatisme dont il est question ici l'interprète comme une adaptation. Tel est le noyau de la critique que Veblen fait de Marx. Mitchell résume la question en ces termes : « L'école historique allemande avait, juste avant lui, perçu la relativité de l'économie orthodoxe. Mais elle n'avait pas fourni de substitut scientifique à la doctrine qu'elle rejetait ou dépréciait. Karl Marx s'était montré plus constructif. Aux yeux de Veblen, Marx avait courageusement innové en matière d'analyse culturelle, malgré le handicap d'une psychologie superficielle puisée chez Bentham, et d'une métaphysique romantique puisée chez Hegel. L'influence de Bentham avait conduit Marx à développer une théorie banale des intérêts de classe, qui manquait à voir comment certaines formes de pensée sont enracinées chez les hommes d'affaires par leurs occupations pécuniaires, tandis que de toutes autres formes de pensée le sont chez les salariés par le processus du machinisme où ils se trouvent pris. L'influence de Hegel a fait de la théorie marxiste de l'évolution sociale essentiellement un enchaînement intellectuel orienté vers un but, ''la structure économique sans classes, propre au terme final socialiste'' — là où le schème de pensée darwinien envisage « une causalité cumulative et aveugle, où il n'est ni direction, ni terme final, ni accomplissement''. Marx a donc quitté la voie étroite de l'analyse scientifique, qui convient à un âge mécanique, pour développer une vision optimiste du futur, qui satisfaisait son désir d'une révolution socialiste. Le point de vue darwinien, qui fournit le programme de travail nécessaire, se répandra parmi les chercheurs en sciences sociales, non parce qu'il serait moins métaphysique que ses prédécesseurs ou plus proche de la vérité (quoi que cela puisse signifier), mais parce qu'il s'harmonise mieux avec les pensées que fait naître le travail journalier au xx⁽ siècle [19]. » Dans la thèse selon laquelle « le point de vue darwinien » ne serait pas « plus proche de la vérité » que celui de Marx, mais simplement plus adéquat aux conditions de travail dans la société contemporaine, gît la faiblesse décisive de la théorie de Veblen. L'« harmonie » entre la pensée et la réalité que prône sa doctrine de l'adaptation n'est peut-être au bout du compte qu'harmonie avec l'oppression même qu'il condamne par ailleurs. Cette harmonie n'est certainement en rien supérieure aux vues opposées de Marx. Celui-ci n'avait pas une « psychologie superficielle » : il n'avait pas de psychologie du tout, et ce pour d'excellentes raisons théoriques. Le monde dont Marx entreprend l'examen est régi par la loi de la valeur, non par l'âme humaine. Les hommes sont toujours aujourd'hui les objets ou les fonctionnaires du processus social. Expliquer le monde au moyen de la psychologie de ses victimes, c'est déjà faire abstraction des mécanismes objectifs fondamentaux auxquels les hommes sont soumis. La psychologie du capitalisme que propose Veblen fait comme si la société était un ensemble d'individus ; et comme si les individus n'étaient pas aliénés, tant vis-à-vis d'eux-mêmes que de la totalité. En hypostasiant ces sujets essentiellement non libres pour fonder une théorie sociale de l'ordre existant, on y introduit nécessairement un élément d'erreur. En réalité, la doctrine des intérêts de classe et de la conscience de classe, que Veblen attaque comme psychologie rationaliste et hédoniste, ne se réfère pas simplement à la psychologie du prolétariat tel qu'il est. Cette dernière a peut-être été plus justement saisie par Veblen que par Marx, à cette légère réserve près que les traits même du prolétariat que Veblen considère comme des signes prometteurs du progrès des Lumières ont depuis lors revêtu une fonction que Veblen n'aurait jamais, fût-ce en rêve, imaginée. Au contraire, Marx insiste sur les intérêts objectifs du système. Ces intérêts sont objectifs malgré le fait que le système n'est pas transparent au prolétariat, que « l'intérêt » du prolétariat ne se donne nullement, de manière automatique, comme mobile psychologique. Car l'absence de prise de conscience chez les travailleurs et leur ajustement inconscient aux conditions régnantes sont dus au système lui-même. Veblen taxe Marx de superficialité parce que, comme les économistes classiques, il prend le bonheur comme point de départ. Selon Veblen, les hommes ne sont pas

---

19. W. C. Mitchell. *op. cit.*, p. XLVII et s.

aujourd'hui gouvernés par l'idée de bonheur, par rapport à laquelle lui-même reste fort distant, mais plutôt par le propre poids des institutions sociales et économiques. Or cette objection repose sur une fausse interprétation de la philosophie dialectique. Celle-ci doit certes reconnaître les déformations de la conscience que met en lumière l'institutionnalisme de Veblen, mais les reconnaître comme des faits, non les accepter comme la mesure de ce qui devrait être. Si « le processus du machinisme » développe chez les salariés certaines habitudes de pensée, on ne doit pas pour autant céder devant ces habitudes, si pratiques qu'elles puissent être, mais bien les abattre en raison de leur fausseté objective : parce qu'elles charrient implicitement des jugements erronés sur le développement de la société dans son ensemble, qui ne se laisse pas saisir par un instrumentalisme naïf et servile. L'intention critique de Veblen et sa révérence pour le donné historique sont irréconciliables. De toute évidence, au sein de sa sociologie existe une fracture entre ses attaques contre l'ordre existant et son détachement ouvertement darwinien.

Le concept d'adaptation est le *deus ex machina* grâce auquel Veblen s'efforce de combler le fossé entre ce qui est et ce qui devrait être. La dialectique, quant à elle, ne pourrait concevoir le pas suivant comme adaptation sans abandonner la cause même qu'elle défend, l'idée de potentialité. Mais que peut être ce pas suivant pour ne pas rester abstrait et arbitraire, pour ne pas retomber dans le même genre d'utopies que rejetaient les promoteurs de la philosophie dialectique ? Inversement, comment lui donner direction et but si l'on ignore tout ce qui dépasse un tant soit peu le déjà donné ?

On pourrait demander, en variant la question kantienne : comment quelque chose de nouveau est-il possible ? C'est par le fait qu'il soulève cette question que le pragmatisme fait la preuve de son sérieux. Le pragmatiste est conscient des limites éternellement posées aux tentatives humaines d'aller au-delà de ce qui existe — tant par la pensée que par l'action. Il sait en outre que, dès que l'on néglige le moins du monde ces limites, dès que l'on sous-estime les pouvoirs existants, naturels autant que sociaux, on risque de tomber dans une phraséologie impuissante et un comportement futile ; on s'expose au châtiment d'une trop facile victoire de l'ordre existant, châtiment qu'on ne peut arrêter ou adoucir qu'en prenant patiemment en considération tout l'inexorable poids du donné. Le sérieux du pragmatiste rappelle l'attitude sceptique du médecin, qui refuse de s'intéresser à la possibilité de venir un jour à bout de la mort, préférant aider ceux qui vivent, quitte à reconnaître la mort comme finalement inéluctable. Le médecin, pour cette raison, parle bien souvent comme s'il se faisait l'avocat de la mort, s'inclinant devant sa souveraineté ultime ; de même, le pragmatiste soutient la parenté de l'homme avec la nature aveugle, comme condition invariable sur laquelle il convient de fonder toute tentative d'aider vraiment ceux qui souffrent. Toutefois, on peut s'interroger si l'attitude du philosophe doit vraiment être celle du médecin portant son diagnostic, si la philosophie ne peut qu'être en harmonie avec les principes intrinsèques à la pratique effective. Car l'attitude pratique présuppose une sorte d'insouciance qui tombe elle-même sous le coup de la critique philosophique. Aux yeux du médecin, les hommes sont des cas ; et sa résignation, si profondément fondée dans les faits qu'elle puisse être, reflète au moins en partie, précisément par sa référence aux faits, sa conviction implicite que cette relation entre sujet et objet ne peut d'aucune façon être modifiée. Son exhortation favorite, celle de garder son sang-froid, lui est peut-être nécessaire pour apporter une aide efficace, mais l'équivalent philosophique de cette attitude tend simplement à faire accepter le destin, et réifie à nouveau sur le plan théorique les hommes qui sont déjà traités comme des objets par la réalité. Les faits opiniâtres que l'observateur accepte comme tels, on peut finalement y reconnaître les briques, fabriquées par l'homme, du mur derrière lequel la société enferme opiniâtrement chacun de ses membres. Là où le pragmatiste ne voit que des éléments opaques, simples données qu'il s'agit, du point de vue de la science, d'organiser dans un contexte logique, là seulement commence la tâche de la philosophie : appeler les choses par leur nom, au lieu de les ranger sous des rubriques logiques, et comprendre leur opacité elle-même comme résultant du même processus social dont elles apparaissent entièrement détachées. Le nouveau, c'est peut-être précisément ce qui est ainsi « nommé ». Rien, cependant, n'est plus opaque que l'adaptation elle-même, par laquelle la simple existence est consacrée comme la mesure de la vérité. Le pragmatiste demande, pour affecter toute vérité de son indice historique, que chaque énoncé soit rattaché à une situation déterminée dans le temps et dans l'espace. Mais l'idée d'adaptation qui est celle du pragmatiste a elle-même besoin d'un tel indice, à savoir ce que Freud appelait l'urgence vitale.

Le pas suivant ne se fait par adaptation que dans la mesure où le besoin et la pauvreté règnent sur le monde. L'adaptation est le comportement qui convient à une situation de pénurie, et la faiblesse du pragmatisme réside dans le fait d'hypostasier cette situation comme éternelle. Cela apparaît dans ses conceptions de la nature et de la vie. C'est ainsi que Veblen souhaite que les hommes « s'identifient avec le processus de la vie », perpétuent par conséquent l'attitude qu'adoptent les hommes face à la nature quand celle-ci ne leur accorde pas des moyens suffisants d'existence. Les attaques de Veblen contre ceux qui se tiennent « à l'écart [20] », et auxquels leur position privilégiée évite d'avoir à s'adapter à aucun changement de situation, aboutissent pratiquement à une glorification de la lutte darwinienne pour l'existence. Or l'hypothèse de l'urgence vitale est aujourd'hui manifestement périmée, du moins pour ce qui est des conditions sociales de l'existence, précisément en raison de ce développement des forces productives technologiques auquel la doctrine de Veblen recommande aux hommes de s'ajuster. Le pragmatiste succombe ainsi face à la dialectique. A partir du moment où l'on entend vivre « au niveau » de la situation technologique présente, alors que seule l'organisation de la société empêche la réalisation de ces promesses de richesse et d'abondance, il ne convient plus d'obéir aux règles propres à une culture de pénurie. Dans un des plus beaux passages de son ouvrage, Veblen se rend compte de cette liaison intime entre la pauvreté et la perpétuation des formes existantes. « Les gens qui végètent dans la misère et n'ont de forces que pour chercher à manger pour aujourd'hui, ces gens sont des conservateurs, parce qu'ils ne peuvent pas se permettre de réfléchir à l'après-demain ; comme eux, les gens parfaitement prospères sont des conservateurs, parce qu'ils n'ont guère sujet de se plaindre de l'état présent des choses [21]. » Le pragmatiste n'en reste pas moins attaché à l'ancien point de vue, celui des hommes qui ne peuvent penser au-delà du lendemain — c'est-à-dire plus loin que le pas suivant —, parce qu'ils ignorent de quoi ils vivront demain. Le pragmatiste est le représentant de la pauvreté. Telle est sa vérité historique, parce que l'organisation de

---

20. VEBLEN, *op. cit.*, p. 219.
21. *Ibid.*, p. 134.

la société maintient encore des hommes dans la pauvreté, et aussi son erreur historique, parce que l'absurdité de cette pauvreté a fini par devenir manifeste. S'adapter à ce qui est possible aujourd'hui ne signifie plus du tout en fait s'adapter, mais réaliser les potentialités objectives.

T. W. ADORNO
(*Traduit de l'anglais par Jean-Baptiste Grasset.*)

Table

ACHEVÉ D'IMPRIMER EN MARS 1984
SUR PRESSE CAMERON
DANS LES ATELIERS DE LA S.E.P.C., SAINT-AMAND (CHER)
COMPOSITION : FACOMPO, LISIEUX
DÉPÔT LÉGAL : MARS 1984
NUMÉRO D'IMPRIMEUR : 501
PREMIER TIRAGE : 3 000 EXEMPLAIRES

ISBN : 2-7071-1447-2